PETIT DICTIONNAIRE DE LA MYTHOLOGIE

Collège du Sacré-Coeur
Association Coopérative
155 Belvedère Nord
Sherbrooke, Qué.
J1H 4A7

Collection « Mythologies » dirigée par
Claude AZIZA

L'« Entracte » a été imaginé et réalisé par
Annie COLLOGNAT

Texte de Martine BECK avec la collaboration de
Yvonne DUBOIS et Valérie FERT

Petit dictionnaire de la Mythologie

Éditions G.P.

Loi n° 49-956 du 16 juillet 1949 sur les publications destinées
à la jeunesse : mai 1999.

© 1985, éditions G.P.

© 1997, éditions Pocket Jeunesse, département de Havas Poche,
pour la présente édition et le cahier « Entracte ».

ISBN 2-266-09228-6

LE MONDE GREC
ILLYRIE
MACEDOINE
CHALCI-
-DIQUE
Mt Olympe
EPIRE
LEUCADE
ETOLIE
ITHAQUE
Delphes
Chalcis
Thèbes
Mt Erymanthe
Eleusis
Elis
Corinthe
Olympie
Argos
Mts du Pinde
Mt Lycée
Sparte

Byzance
PHRYGIE
Troie
Mytilène
Pergame
Cumes
Phocée
Smyrne
Ephèse
Samos
Milet
Halicarnasse
Cos
Cnide
RHODES
KARPATHOS
KASSOS

ADONIS

Adonis est un dieu d'origine phénicienne, né de l'amour incestueux de Myrrha pour son père, Cinyras, roi de Chypre.

La fille du roi de Chypre, Myrrha, déclara un jour que jamais elle n'aimerait personne. Aphrodite, la déesse de l'Amour, entendit les paroles de la jeune fille. Quelle était donc cette princesse qui prétendait résister à l'amour et aux pouvoirs de la déesse ? Aphrodite était très en colère. Sur-le-champ, elle décida de donner une leçon à Myrrha. Et, quelques jours plus tard, Myrrha était amoureuse. Amoureuse à en perdre la tête. Seulement, celui qu'elle aimait n'était ni prince ni même un berger, mais son propre père, Cinyras. Envoûtée par Aphrodite, incapable de vaincre sa passion, elle se glissa dans la chambre royale. Lorsque le roi se rendit compte de ce que sa fille avait fait, il voulut la tuer. Pour échapper à la mort, la princesse s'enfuit et demanda aux dieux de la protéger. Ceux-ci, afin de la rendre invisible, la transformèrent en arbre à myrrhe.

Les mois passèrent. Cinyras ne cherchait plus sa fille. Pourtant, un matin, dans la forêt, le tronc de l'arbre à myrrhe s'ouvrit. Un enfant apparut et les branches de l'arbre le déposèrent tendrement sur le sol. Ce bébé, Adonis, était le fils de Myrrha et de Cinyras. Quand Aphrodite aperçut l'enfant, elle demeura éblouie. Jamais elle n'avait contemplé nourrisson d'une beauté aussi parfaite. Malgré la punition qu'elle avait infligée à sa mère, elle décida de s'occuper d'Adonis et de lui trouver une nourrice. Justement, parmi tous les dieux et les déesses, il en existait une qui n'avait pas d'enfant. C'était Perséphone, la déesse des Enfers. Aphrodite lui rendit visite et Perséphone accepta d'élever Adonis. Plus Adonis grandissait, plus il devenait beau. Il était si beau qu'Aphrodite elle-même se mit à l'aimer. Et elle l'aimait tellement qu'elle voulait qu'il demeurât nuit et jour avec elle.

Malheureusement pour la déesse, Perséphone, elle aussi, aimait Adonis et refusait de le rendre à Aphrodite. Alors, elles demandèrent à Zeus de décider laquelle d'entre elles garderait le jeune homme. Zeus, prudent, bredouilla qu'il était mauvais juge en la matière, que mieux valait s'adresser à Calliope, la muse de la Poésie. Calliope servit d'arbitre aux déesses et rendit un jugement équitable. Adonis passerait un tiers de l'année avec Perséphone, un tiers de l'année avec Aphrodite et un autre tiers avec qui il voudrait. Mais ce jugement ne plaisait pas à Aphrodite. Elle décida de tricher. Pour cela, elle revêtit une ceinture magique qui rendait fou d'amour tous ceux qui la voyaient. Elle se présenta ainsi parée devant Adonis et il oublia aussitôt Perséphone. Cependant, Perséphone pensait toujours à Adonis et elle était de plus en plus jalouse d'Aphrodite.

Un jour, n'y tenant plus, elle résolut de se venger. Elle savait qu'Arès, le dieu de la Guerre, faisait la cour à sa rivale. Elle lui révéla que celle-ci lui préférait un simple mortel. Fou de rage, Arès guetta le jeune homme. Il le vit qui chassait seul dans les bois. Une idée lui vint et, en un éclair, il se transforma en un féroce sanglier. Adonis aperçut l'animal, banda son arc. Mais Arès le sanglier fonça sur lui et le blessa. Aphrodite entendit les plaintes d'Adonis. Elle accourut. Mais il était trop tard. Le jeune homme venait de mourir. Aphrodite se mit à pleurer et, des larmes de la déesse et du sang d'Adonis, une fleur naquit. C'était l'anémone.

APHRODITE
VÉNUS

Aphrodite est la déesse de la Beauté et de l'Amour. Elle naquit de l'écume des vagues et surgit nue de la mer, chevauchant une conque marine.

Un jour, au large de l'île de Cythère, une créature d'une beauté merveilleuse surgit de l'écume. Drapée dans ses longs cheveux d'or, elle s'installa dans une conque marine. Zéphyr, le vent de l'Ouest, souffla sur cet étrange navire et le poussa jusqu'aux rivages de l'île de Chypre. Partout où la conque passait, les vagues chantaient. Et quand Aphrodite prit pied sur la plage de Chypre, des fleurs surgirent sous ses pas.

Les Heures, qui étaient au nombre de trois et gardaient d'habitude les portes du ciel, vinrent à sa rencontre. Elles la parèrent de voiles, la couronnèrent de violettes et lui donnèrent un char tiré par des cygnes. Ainsi vêtue et dans cet équipage, Aphrodite parut pour la première fois devant les dieux de l'Olympe. Tous furent éblouis et décidèrent aussitôt qu'elle serait désormais la déesse de la Beauté et de l'Amour. Mais, à cette déesse si belle, Zeus donna comme époux le dieu le plus laid, un dieu difforme et qui boitait, Héphaïstos le forgeron. Or, peu de temps après ce mariage, Arès, le dieu de la Guerre, devint amoureux d'Aphrodite. Et Aphrodite, qui était charmeuse, se laissa faire la cour. Souvent, Arès et Aphrodite sortaient ensemble. Héphaïstos n'en savait rien. Mais voilà qu'un jour Hélios, le dieu du Soleil, surprit la déesse et son amoureux qui s'embrassaient. Aussitôt, il alla prévenir Héphaïstos. Celui-ci, furieux, décida de punir sa femme. Il prit sa pince, son marteau et commença à forger un filet aux mailles serrées, un filet de bronze. Lorsqu'il eut terminé son ouvrage, il suivit en cachette Aphrodite et Arès et, au moment où ils s'y attendaient le moins, il jeta son filet sur eux et les emprisonna. Puis, sans perdre un instant, il appela tous les dieux de l'Olympe et leur demanda de condamner publiquement Aphrodite. Les dieux auraient aimé faire plaisir à Héphaïstos, mais aucun d'entre eux n'arrivait à blâmer la déesse. Mieux, Poséidon, le dieu de la Mer, avoua que lui aussi aimait Aphrodite. Hermès ajouta qu'il aurait bien aimé être à la place d'Arès, même s'il y avait eu trois filets au lieu d'un. Pauvre Héphaïstos ! Bientôt, Aphrodite eut une fille, Harmonie, dont le père n'était pas le forgeron mais le dieu de la Guerre. Puis elle eut un autre enfant, Hermaphrodite [1], dont le père n'était toujours pas Héphaïstos, mais Hermès. Et, après les dieux, elle aima des mortels, comme Adonis. Pauvre Héphaïstos ! Tandis qu'il travaillait dans sa forge, sa femme soumettait l'Olympe et la terre à sa loi, celle de l'amour.

1. Cet enfant a la particularité d'être doté des caractères physiques des deux sexes, masculin et féminin. *(Toutes les notes sont de l'auteur de l'Entracte.)*

APOLLON

Apollon, représenté comme le plus beau des dieux, est le fils de Zeus et de Léto et le frère jumeau d'Artémis.

Zeus aimait Léto, la fille des Titans Phœbé et Cœos. Et Léto aimait Zeus. Un jour, Héra, la femme de Zeus, apprit que Léto attendait des jumeaux. Folle de jalousie, elle entra dans une terrible colère et se mit à poursuivre Léto. Partout où Léto allait, Héra la retrouvait et l'obligeait à fuir de nouveau. Certains dieux auraient voulu aider la jeune femme, mais aucun n'osait le faire car la déesse les terrifiait. Même les forêts, les montagnes, refusaient de l'abriter, tant elles craignaient la vengeance d'Héra. Et Léto fuyait toujours, de plus en plus désespérée. En effet, le jour de la naissance approchait et elle ne savait où s'arrêter pour mettre au monde ses enfants. Elle était à bout de forces quand elle aperçut de vilains rochers qui dérivaient à la surface de la mer. S'attendant à un refus, elle leur demanda de lui offrir asile.

Mais, contre toute attente, les rochers acceptèrent. Au moment où ils accueillaient Léto, de solides piliers les ancrèrent dans l'océan, les transformant soudain en une île magnifique, l'île de Délos. Aussitôt, un palmier surgit de terre. Léto s'assit au pied de l'arbre. Elle pouvait enfin se reposer.

Voyant le courage des rochers, les dieux se sentirent honteux d'avoir tellement tremblé devant Héra. Ils décidèrent de lui offrir des cadeaux pour qu'elle oublie un peu Léto. Leur ruse réussit et la jeune femme put avoir ses enfants en toute tranquillité.

Artémis naquit la première. Puis Apollon apparut, tandis que des cygnes sacrés survolaient l'île à sept reprises.

Apprenant la naissance de ces enfants, Thémis, la déesse de la Justice, descendit de l'Olympe. Avec elle, elle apportait pour les nourrir les deux aliments réservés aux dieux, le nectar et l'ambroisie. Grâce à ces breuvages, Apollon grandit très vite. Il avait quatre jours seulement quand il quitta l'île de Délos.

Il commença à voyager à travers la Grèce. Là, on lui raconta qu'un monstre, le serpent Python, terrorisait le pays. Il massacrait les animaux, dévorait les habitants. Ce monstre habitait dans une grotte, la caverne du Parnasse[1]. Sans hésiter,

1. Le Parnasse est la montagne qui domine le site de Delphes ; il passe pour être le séjour des Muses.

Apollon se présenta devant la caverne. Il appela le monstre. Mais celui-ci ne répondit pas. Alors, pour l'obliger à sortir, le jeune dieu jeta une torche enflammée à l'intérieur de la grotte. Bientôt, asphyxié et aveuglé par la fumée, Python rampa hors de son repaire. À ce moment, Apollon banda son arc et le tua.

Mais Python avait une mère, Gaia, qui était également l'ancêtre de tous les dieux. Pour apaiser la colère de Gaia, Apollon se purifia et créa des jeux qui auraient lieu tous les huit ans à Delphes. Là, en souvenir de Python et de la purification d'Apollon, des épreuves athlétiques alterneraient avec des concours de musique. Apollon était désormais le dieu des Arts, mais aussi celui de la Lumière et de la Vérité. C'est à ce titre qu'il inspirerait les devins, surtout la Pythie qui se tiendrait dans son temple, également à Delphes.

ARÈS
MARS

Arès, le dieu de la Guerre, est le fils de Zeus et d'Héra. Il figure parmi les douze dieux de l'Olympe.

Arès était le fils de Zeus et d'Héra. Mais tous deux le détestaient. Il est vrai qu'Arès n'était pas très beau. On remarquait surtout chez lui sa taille gigantesque et sa voix tonitruante. Il est vrai aussi qu'il n'avait pas très bon caractère. Il était toujours prêt à chercher querelle, à partir en guerre et, une fois sur deux, on le voyait souillé de sang. Quand il y avait un combat quelque part, il se réjouissait. Aussitôt il revêtait sa cuirasse, son casque, s'armait de sa lance et sautait sur son char attelé de quatre chevaux. Ses écuyers lui emboîtaient le pas.

Ils étaient cinq. En premier lieu venait Éris, la Discorde, accompagnée de son fils. Puis Enyo, la déesse de la Guerre, suivie de Deimos et de Phobos, la Terreur et la Crainte. Partout où passait ce cruel équipage, ce n'étaient que gémissements et torrents de sang.

Comment s'étonner qu'un tel dieu ne trouvât jamais de femme ? Pourtant, il fut aimé d'Aphrodite dont il eut trois enfants, Harmonie et les horribles jumeaux Deimos et Phobos qui l'accompagnaient sur les champs de bataille.

ARTÉMIS
DIANE

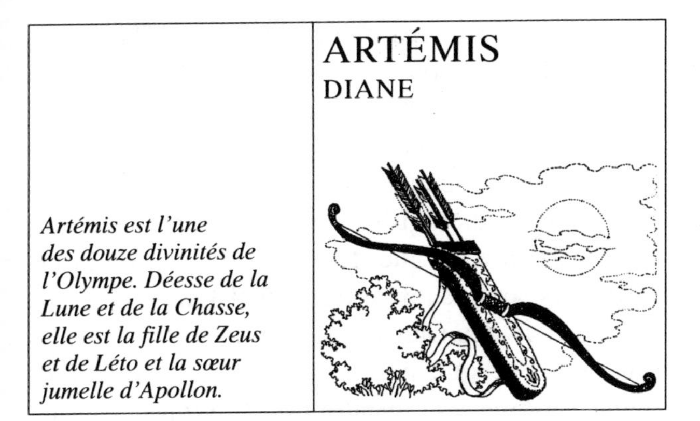

Artémis est l'une des douze divinités de l'Olympe. Déesse de la Lune et de la Chasse, elle est la fille de Zeus et de Léto et la sœur jumelle d'Apollon.

Très jeune enfant, alors que son frère Apollon luttait contre le serpent Python, Artémis demanda à Zeus de lui accorder trois faveurs. Tout d'abord, elle voulait demeurer éternellement une jeune fille et ne jamais se marier. Ensuite, elle serait très heureuse si son père lui offrait un arc et des flèches d'argent. Enfin, elle désirait passer sa vie dans les bois à chasser en compagnie de nymphes. À ces trois demandes, Zeus répondit favorablement et Artémis devint la déesse de la Chasse. Mais cette déesse se mettait vite en colère et se vengeait tout aussi promptement. Elle utilisait alors ses flèches d'argent, non pas contre les animaux sauvages, mais contre les hommes. C'est ce qui arriva à Niobé.

Niobé, fille de Tantale, régnait sur Thèbes[1]. Elle était riche, puissante et mère de quatorze enfants, sept filles et sept garçons. Or, un jour, en passant devant le temple que les Thébains avaient dédié à Léto, elle déclara : « Pourquoi un temple à Léto ? Ce n'était qu'une pauvre errante et je suis reine. Elle n'a eu que deux enfants et j'en ai eu deux fois sept. C'est à moi qu'il faut rendre un culte, offrir des sacrifices, et non pas à Léto. » Entendant ce que Niobé osait dire de sa mère, Artémis descendit aussitôt de l'Olympe en compagnie d'Apollon. Elle tira de son carquois ses flèches d'argent tandis que son frère prenait ses flèches d'or. Et, sous les yeux de Niobé impuissante, ils tuèrent ses enfants. Niobé se transforma en pierre. Seules ses larmes continuèrent de couler, donnant naissance à une source. Mais, pour se venger, Artémis n'avait pas toujours besoin de ses flèches. Un peu d'eau pouvait lui suffire comme elle le prouva avec Actéon.

Actéon était un jeune chasseur. Alors qu'il poursuivait un cerf avec sa meute, il fut pris d'une soif subite. Apercevant une fontaine, il s'approcha de celle-ci afin de boire. Mais, au moment où il se penchait pour se rafraîchir, il vit la déesse qui, ayant ôté sa tunique, s'apprêtait à se baigner. Actéon n'avait pas cherché à surprendre Artémis et Artémis le savait. Malgré cela, elle jeta avec

1. Capitale de la Béotie, fondée par le héros Cadmos, père de Sémélé (voir p. 151).

colère quelques gouttes d'eau au visage du jeune homme. Aussitôt, il se transforma en cerf. Les chiens de sa meute, ne reconnaissant pas leur maître, crurent que c'était la proie qu'ils poursuivaient un instant auparavant. Alors ils s'élancèrent et le dévorèrent sous le regard cruel et satisfait de la déesse.

ASCLÉPIOS
ESCULAPE

Asclépios est le dieu de la Médecine, fils d'Apollon et de la nymphe Coronis.

Une jeune fille, du nom de Coronis, vivait en Thessalie. Elle était d'une grande beauté et Apollon s'éprit d'elle. Coronis aurait dû se sentir flattée. Mais, au dieu, elle préférait un simple mortel, Ischys. Aussi, dès qu'Apollon fut parti, elle alla rejoindre Ischys. Or le dieu avait chargé un corbeau de surveiller Coronis. Voyant que celle-ci était infidèle à son maître, il vola aussitôt vers l'Olympe pour le prévenir. Fou de rage, Apollon décida que le corbeau, qui jusque-là était blanc, serait noir désormais. Dans le même élan, il tua Coronis. Pourtant, à peine la jeune fille avait-elle rendu l'âme qu'il fut pris d'une immense pitié à son égard. À défaut de ramener Coronis à la vie, il décida de sauver l'enfant qu'elle attendait de lui et de l'appeler Asclépios.

Le petit Asclépios fut confié au Centaure Chiron. Contrairement aux autres Centaures, sauvages et brutaux, Chiron était doux et savant. Il enseigna à Asclépios tout ce qu'il savait sur l'art de guérir. Bientôt, l'élève dépassa le maître. On venait de partout pour le consulter et jamais une maladie ne lui résistait. Un jour, on lui proposa une forte somme d'argent s'il ressuscitait un jeune homme qui venait de mourir. Asclépios accepta et ramena le jeune homme à la vie. Apprenant cela, Zeus prit peur car seuls les dieux avaient d'ordinaire ce pouvoir. Il ne fallait pas qu'Asclépios transmette sa science aux hommes... Pour empêcher cela, Zeus ne voyait qu'un moyen : tuer Asclépios. Alors, sur-le-champ, il le foudroya. Mais les hommes élevèrent des temples à la gloire du guérisseur. Les malades venaient y dormir. Dans leurs songes, Asclépios leur apparaissait, tenant à la main une baguette de saule autour de laquelle était enroulé un serpent, et il leur indiquait un remède pour guérir.

ATHÉNA
MINERVE

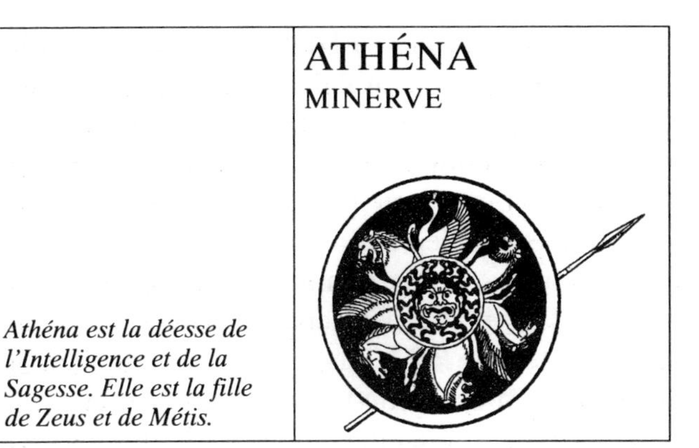

Athéna est la déesse de l'Intelligence et de la Sagesse. Elle est la fille de Zeus et de Métis.

Zeus avait envie d'épouser la Titanide Métis. Malheureusement, chaque fois qu'il s'approchait d'elle, Métis se métamorphosait pour lui échapper. Un jour, elle se transforma en mouche. Zeus ouvrit la bouche et l'avala. Quelques mois plus tard, Zeus fut pris d'une violente migraine. Il avait tellement mal à la tête qu'il demanda à Héphaïstos de lui fendre le crâne d'un coup de hache. Héphaïstos s'exécuta. Mais, à l'endroit de la migraine, une déesse surgit. Elle était casquée et armée d'une lance. Il s'agissait d'Athéna, la fille de Métis et de Zeus, et elle ne tarda pas à devenir l'enfant préféré de ce dieu. Il l'aimait tellement qu'il lui confia sa cuirasse, l'égide. C'était une cuirasse en peau de chèvre, recouverte d'écailles et bordée de serpents.

Avec son casque, sa lance, son bouclier et sa cuirasse, Athéna semblait très guerrière. Mais, contrairement à Arès, elle n'aimait pas le sang des champs de bataille. S'il lui arrivait de combattre, c'était toujours pour prendre la défense d'une cité, d'une famille ou d'un homme. Elle aida ainsi de nombreux héros comme Héraclès, Bellérophon et Persée. Ce dernier, pour la remercier, lui donna la tête de la Méduse qu'il avait tranchée. Et Athéna accrocha cette tête à sa cuirasse.

Déesse guerrière quand il le fallait, Athéna était avant tout une déesse sage. C'est grâce à cette sagesse qu'elle devint la protectrice d'Athènes. En effet, Poséidon voulait être le maître de cette ville. Athéna aussi. Comme les habitants de la cité ne parvenaient pas à se décider, Poséidon et la déesse déclarèrent que la ville reviendrait à celui qui lui ferait le don le plus précieux. Aussitôt, Poséidon frappa le sol de son trident. Une source d'eau salée jaillit. Athéna fit de même avec sa lance et un olivier surgit. Entre une source où personne ne pouvait s'abreuver et un arbre qui procurait de l'huile pour s'éclairer, des fruits pour manger et de l'ombre pour se reposer, le choix n'était pas difficile. La déesse aux yeux pers, celle dont l'emblème était la chouette, devint la maîtresse d'Athènes.

ATLAS

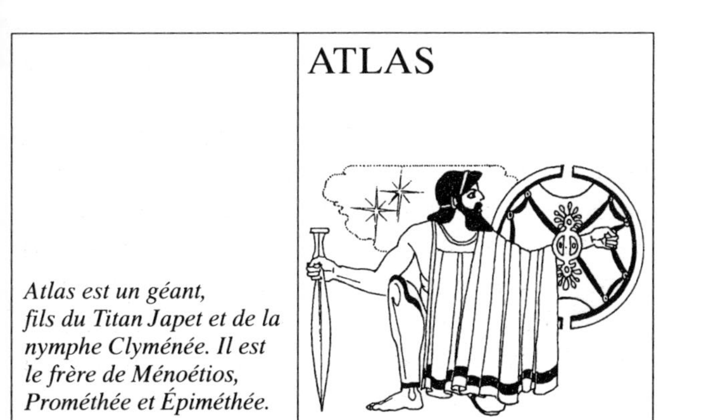

Atlas est un géant, fils du Titan Japet et de la nymphe Clyménée. Il est le frère de Ménoétios, Prométhée et Épiméthée.

Atlas était un géant, le fils d'un Titan, l'un de ces dieux qui régnèrent sur le monde avant les dieux de l'Olympe. Un jour, la guerre éclata entre les Titans et les dieux de l'Olympe commandés par Zeus. Ce fut une guerre terrible. Le ciel et la terre tremblaient. La mer submergeait montagnes et plaines. Plus d'une fois, on crut que l'univers allait être détruit. Mais, finalement, les combats cessèrent. Zeus et les dieux de l'Olympe étaient vainqueurs. Les Titans et les Géants, vaincus, furent châtiés par les Olympiens. Atlas, pour sa part, fut condamné à porter éternellement sur ses épaules la voûte céleste et le poids du monde.

BORÉE
AQUILON

Borée est le dieu du vent du Nord, fils du Titan Astraeos et d'Éos, l'Aurore.

Borée, le vent du Nord, était le frère de Zéphyr, le vent de l'Ouest. Mais, tandis que Zéphyr était doux et aimable, Borée était dur et violent. Il prenait souvent la forme d'un démon ailé et barbu. Pourtant, ce vent peu fréquentable tomba amoureux d'Orithye, la fille d'Érechthée, le roi d'Athènes. Comme tout amoureux, il alla demander la main de la jeune fille à son père. Malheureusement pour Borée, celui-ci refusa. Alors Borée décida d'enlever Orithye. Un jour où elle se promenait avec des amies le long d'une rivière, il l'enveloppa d'une nuée et l'emporta. Ensemble, ils eurent deux fils qui participèrent à l'expédition de la Toison d'or. On raconte aussi que Borée, sous la forme d'un cheval, engendra douze poulains si légers que lorsqu'ils couraient sur un champ de blé les épis ne se courbaient pas sous leur poids.

CENTAURES (LES)

Les Centaures sont des êtres fabuleux, mi-hommes, mi-chevaux.

Un jour, Zeus voulut savoir si Ixion, le roi des Lapithes, oserait séduire Héra. Il prit quelques nuages, leur donna la forme de la déesse et les envoya dans le palais d'Ixion. Le roi, qui était en train de boire, vit une femme paraître devant lui. Mais il était tellement ivre qu'il ne remarqua pas combien elle ressemblait à Héra. Il ne comprit pas davantage que cette femme n'était pas faite de chair, mais de nuages. Comme si elle avait été une simple courtisane, il la prit dans ses bras. Furieux, Zeus ordonna d'attacher le roi à une roue enflammée qui tournerait sans cesse aux portes de l'Enfer. Pourtant, peu après, la femme-nuages eut un enfant, Centauros. Bien qu'ayant l'apparence d'un homme, Centauros préférait les juments aux femmes. C'est ainsi que ses fils, les Centaures, naquirent avec un corps de cheval et la tête et le buste d'un homme. Semblables à des animaux, ils vivaient dans la forêt, se nourrissant de viande crue. Semblables également à des hommes, on les invitait parfois à des banquets. C'est ainsi que le fils d'Ixion, Pirithoos, devenu à son tour roi des Lapithes, les convia au festin de ses noces avec Hippodamie. Les Centaures mangèrent à satiété, burent davantage encore... Or ils n'avaient pas l'habitude du vin, qui leur monta vite à la tête. Pris de boisson, l'un d'eux, Eurytos, se précipita sur la mariée et l'enleva. Aussitôt, les autres Centaures l'imitèrent et se jetèrent sur les femmes des Lapithes. Une mêlée terrible s'ensuivit et les Centaures furent chassés du pays.

CERBÈRE

Cerbère est le gardien des Enfers. Il est le fils d'Échidna et de Typhon.

Cerbère était un chien, mais un chien peu ordinaire. En effet, il avait non pas une, mais trois têtes. Son échine était hérissée de serpents et sa queue semblable à celle d'un dragon. Et ce chien, terrifiant et féroce, gardait l'entrée des Enfers. Il empêchait les vivants d'entrer et interdisait la sortie aux morts qui voulaient s'échapper. Pourtant, quand Orphée se présenta devant lui, Cerbère, charmé par les sons que le musicien tirait de sa lyre, relâcha son attention et le laissa passer.

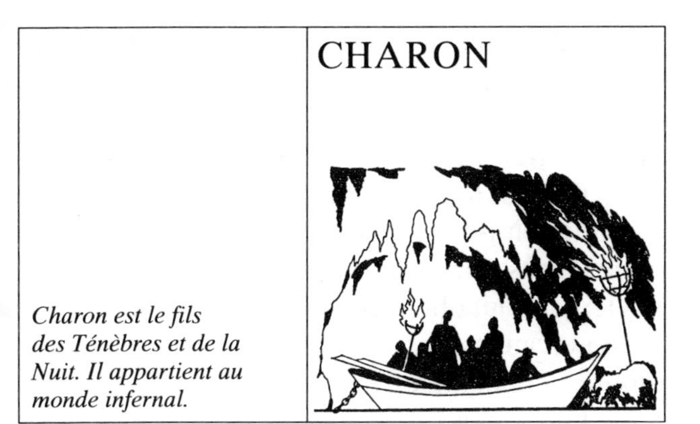

CHARON

Charon est le fils des Ténèbres et de la Nuit. Il appartient au monde infernal.

Lorsque les morts descendaient aux Enfers, ils suivaient d'abord un long sentier et parvenaient ainsi sur les rives d'un fleuve souterrain, le Styx. Là, ils rencontraient un vieillard aux joues hérissées d'une barbe grise et mal taillée. En guise de vêtements, il portait les haillons de ce qui avait été autrefois un manteau. Ce vieillard, c'était Charon. Il demandait aux morts s'ils avaient reçu une sépulture et tendait la main pour qu'ils lui donnent la pièce de monnaie qu'on avait glissée dans leur bouche en les enterrant. Ceux qui n'avaient pas reçu de sépulture, ou qui n'avaient pas d'argent, étaient repoussés et condamnés à errer pendant cent ans. Les autres avaient le droit de monter dans la barque de Charon qui les guidait pour traverser le fleuve. Sur l'autre rive du Styx, les morts débarquaient face à la porte des Enfers gardée par Cerbère.

Pourtant, Charon trouva un jour plus fort que lui. En effet, quand Héraclès descendit aux Enfers, il demanda à Charon de ramer pour lui. Comme celui-ci refusait, Héraclès s'empara de la gaffe du passeur et lui en assena de tels coups que le vieillard dut obéir. Hadès, furieux d'apprendre qu'un vivant avait forcé l'entrée du royaume des ombres, condamna Charon à demeurer enchaîné toute une année.

CHIRON

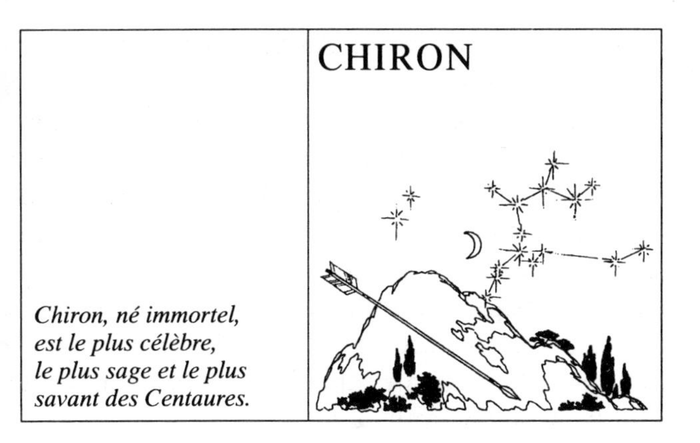

Chiron, né immortel, est le plus célèbre, le plus sage et le plus savant des Centaures.

Nés mi-hommes, mi-chevaux, les Centaures étaient des êtres fantastiques mais mortels. Seul, de tous les Centaures, Chiron était immortel. De plus, contrairement à ses semblables, Chiron n'était ni grossier ni brutal. Bon, généreux, il excellait aussi dans l'art de la musique, dans celui de la médecine. Nombreux furent les héros dont on lui confia l'éducation. Ainsi, dans la grotte du mont Pélion où il habitait, il éleva Asclépios, Achille, Héraclès, Jason et même Apollon.

Mais Chiron l'immortel devait un jour mourir. En effet, Héraclès avait rendu visite à l'un de ses amis, le Centaure Pholos. Or Héraclès avait très soif et il demanda à Pholos de percer pour lui une barrique de vin. Cependant, cette barrique était la propriété commune de tous les Centaures et personne à part eux ne devait y toucher. Sentant l'odeur délicieuse du breuvage qui leur était réservé, ils voulurent savoir ce qui se passait. Quand ils aperçurent Héraclès, ils devinrent fous de rage et attaquèrent le héros. Celui-ci banda son arc et tua tous les Centaures. Malheureusement, une flèche atteignit Chiron qui n'avait pris aucune part à l'attaque. Chiron ne pouvait pas mourir de sa blessure, mais celle-ci le faisait beaucoup souffrir. De plus, aucun remède ne parvenait à la guérir. Alors, Chiron demanda à Zeus de mourir plutôt que de vivre dans la souffrance. Zeus accepta et Chiron devint une constellation, le Sagittaire.

CRONOS
SATURNE

Cronos, né de l'union de Gaia, la Terre mère, et d'Ouranos, le Ciel, est le sixième et le plus jeune des Titans.

Au tout début de l'univers, deux êtres régnaient, Gaia, la Terre mère, et Ouranos, le Ciel. Ils eurent de nombreux enfants, mais tous ces enfants étaient des monstres. Il y avait les Hécatonchires aux cent bras et aux cinquante têtes, les Cyclopes dont l'œil unique, immense, aussi large qu'une roue, était planté au milieu du front. Il y avait enfin les Titans, véritables géants dont le moindre souffle provoquait des tremblements de terre. Si Ouranos tolérait les Titans, en revanche il détestait les Hécatonchires et les Cyclopes. Aussi un jour décida-t-il de les enfermer dans les Ténèbres, au plus profond du Tartare. Voyant cela, Gaia se mit en colère. Il fallait punir ce père indigne. Elle en parla à Cronos, son plus jeune fils, le dernier-né des Titans. Un soir, Cronos surprit Ouranos dans son sommeil. D'un coup de silex, il le châtra. Puis, avec les autres Titans, il libéra les Hécatonchires et les Cyclopes. Pour le remercier, tous décidèrent que Cronos serait leur nouveau roi.

Cronos se maria avec la Titanide Rhéa et la paix régna sur la terre. Cependant, Rhéa mit au monde un enfant et, soudain, le caractère de Cronos changea complètement. En apercevant ce premier enfant, il se rappela la prédiction faite par son père avant de mourir. Lui, Cronos, qui avait détrôné son père, serait également détrôné par l'un de ses fils. Cronos prit peur, et pour déjouer le sort, il dévora l'enfant. Chaque fois qu'un nouveau bébé naissait, il agissait de même, il l'engloutissait. D'ailleurs, il avait tellement peur de perdre son pouvoir qu'il fit enchaîner de nouveau les Cyclopes et les Hécatonchires au fond du Tartare. De son côté, Rhéa ne supportait plus de vivre avec ce mari tyrannique et cruel. Il avait déjà dévoré cinq enfants, elle en attendait un sixième... Eh bien, celui-là, non seulement son père ne le mangerait pas, mais, un jour, il vengerait ses sœurs et ses frères. À la place du petit Zeus, Rhéa présenta à Cronos une pierre enveloppée de langes. Sans se méfier, le Titan l'avala tandis que Rhéa confiait Zeus à sa grand-mère, Gaia.

Devenu grand, Zeus se présenta devant son père. Il l'obligea à avaler certain breuvage qui le fit aussitôt vomir. Ainsi réapparurent les frères et les sœurs de Zeus : Hestia, Déméter, Héra, Hadès, Poséidon. Tous ensemble, ils se liguèrent contre leur père. La terrible guerre des Titans et des Olympiens [1] éclata. Elle dura dix ans. Les Titans, vaincus, furent châtiés, et Cronos enchaîné au fond du Tartare.

1. On désigne par le terme d'Olympiens les dieux et déesses qui résident sur le mont Olympe (voir Entracte, p. V).

DÉMÉTER
CÉRÈS

Déméter est l'une des douze divinités de l'Olympe. Elle est fille de Cronos et de Rhéa.

Déméter était la déesse du Blé et de la Moisson, celle qui nourrissait les hommes. Elle avait également une fille, Perséphone, que l'on appelait aussi la vierge du printemps. Par un bel après-midi, Perséphone se promenait dans un champ de narcisses. Alors qu'elle se penchait pour cueillir l'une de ces fleurs, la terre brusquement s'entrouvrit et, de la crevasse, surgit un chariot d'or tiré par des chevaux noirs. Perséphone recula, épouvantée. Cet équipage, elle le reconnaissait. C'était celui du dieu des Enfers, Hadès. D'un mouvement rapide, le dieu enleva la jeune fille et, tandis que le chariot d'or s'engouffrait de nouveau dans la crevasse et filait vers les profondeurs de la terre, Perséphone poussa un cri terrible. Déméter entendit ce cri et comprit aussitôt qu'un malheur était arrivé à sa fille. Désespérée, elle partit à sa recherche. Pendant neuf jours et neuf nuits, refusant de manger et de boire, tenant une torche dans chaque main, elle la chercha dans tout l'univers. Elle interrogeait sans répit ceux qu'elle croisait. Qui avait enlevé Perséphone ? Où pourrait-elle la retrouver ? Mais personne n'osait lui dire la vérité. En dernier recours, le dixième jour, elle se rendit auprès d'Hélios, le dieu du Soleil, qui voit tout et sait tout. Celui-ci lui révéla ce qui s'était passé. Alors, folle de douleur, Déméter décida que plus jamais elle ne siégerait parmi les dieux de l'Olympe. Désormais, elle errerait et mendierait sur la terre, semblable à ces vieilles femmes tristes qui portent à tout jamais des vêtements de deuil. C'est ainsi qu'elle arriva à Éleusis. Là, elle s'assit sur la margelle d'un puits. Les trois filles du roi Céléos, qui se promenaient, l'aperçurent. Elles eurent pitié de cette vieille femme et lui demandèrent de les accompagner au palais. Là, elle serait nourrie, entourée des soins dus à son âge. Déméter les suivit. Mais, comme elle franchissait le seuil du palais, le jeune fils de Céléos, Triptolème, vint se blottir contre elle. Aussitôt, le roi et la reine décidèrent que cette vieille femme servirait de nourrice à leur fils.

Le jour, Déméter s'occupait de Triptolème comme l'eût fait n'importe quelle nourrice. Mais, la nuit, elle lui donnait à boire de l'ambroisie et le couchait au milieu des flammes afin que, à l'instar des dieux, il gagne la jeunesse éternelle. Cependant, une nuit, la femme de Céléos surprit la nourrice. Alors, celle-ci quitta son apparence de vieille femme et, enveloppée d'une lueur vive, redevint la somptueuse déesse Déméter. Elle ordonna à Céléos de lui construire un temple où elle résiderait.

Mais, tandis que Déméter installée dans son temple pleurait toujours sa fille, les hommes, peu à peu, mouraient de faim. En effet, depuis que la déesse avait fui l'Olympe, la terre était devenue stérile. Plus aucun fruit, plus aucune gerbe n'en sortait. Zeus comprit qu'il fallait agir. Il demanda à Hermès d'aller aux Enfers et de persuader Hadès qu'il fallait rendre Perséphone à sa mère. Hadès accepta. Cependant, avant de la laisser partir, il lui fit manger un grain de grenade. De la sorte, il savait qu'elle lui reviendrait.

À dater de ce jour, chaque année, au début du printemps, Perséphone s'échappa des Enfers. Déméter, heureuse de retrouver sa fille, faisait alors surgir les moissons de la terre. Mais quand, à l'automne, Perséphone la quittait de nouveau, Déméter pleurait et, avec elle, toute la nature se désolait.

DIONYSOS
BACCHUS

Dionysos, dieu de la Vigne et du Vin, est le fils de Sémélé et de Zeus.

Il y avait à Thèbes une princesse du nom de Sémélé, si belle que Zeus tomba éperdument amoureux d'elle. Il l'aimait tellement qu'il jura un jour par le Styx qu'il ferait tout ce qu'elle lui demanderait. Or nul ne pouvait se délier d'un tel serment, pas même un dieu. Aussi, quand Sémélé demanda à Zeus de se montrer à elle paré de ses attributs divins, il fut, la mort dans l'âme, obligé de s'exécuter. Dans une lumière aveuglante, cerné d'éclairs, la foudre à la main, il parut devant elle. À cet instant précis, Sémélé mourut car aucun mortel ne pouvait survivre à la vision d'un dieu. Sémélé gisait sur le sol, mais l'enfant, qu'elle portait depuis six mois, vivait encore. Zeus résolut alors de le sauver. Seulement, il craignait qu'Héra, jalouse, ne cherche à le tuer. Soudain, il eut une idée. Il incisa sa cuisse et y cacha l'enfant jusqu'au jour de sa naissance. De la sorte, Dionysos naquit de la cuisse de Zeus.

Trois mois s'étaient écoulés depuis la mort de Sénélé, mais Héra n'avait rien oublié, ni de la beauté de la princesse ni de l'amour que Zeus lui avait porté. Quand elle apprit la naissance de Dionysos, elle devint folle de rage. Il fallait absolument agir avant qu'elle n'exerce sa vengeance sur l'enfant. En toute hâte, Zeus confia le bébé à Hermès. Celui-ci quitta aussitôt l'Olympe et remit Dionysos au roi Athamas et à sa femme, Ino, afin qu'ils l'élèvent comme leur propre fils. Mais Héra retrouva la trace de Dionysos. Zeus eut juste le temps de transformer l'enfant en chevreau et de le transporter à Nysa où des nymphes s'occupèrent de lui. Furieuse que Dionysos lui ait encore échappé, Héra se vengea sur Athamas et Ino. Elle les rendit fous.

Pendant ce temps, Dionysos grandissait à Nysa dont on disait qu'elle était la plus belle des vallées terrestres. Là, il découvrit la vigne. Mais avec son précepteur, Silène, il découvrit aussi le vin. Et ce fut par cette boisson qu'Héra put enfin exercer sa vengeance. Car, si le vin est doux et réchauffe le cœur, il peut également rendre fou. Frappé de folie, Dionysos se mit à errer à travers le monde. Il allait de pays en pays, accompagné de satyres et de bacchantes. Partout où il passait, en Égypte, en Syrie, on voyait le même cortège de femmes vêtues de peaux de faons, d'hommes-chèvres, qui riaient, chantaient, dansaient et déliraient dans une ivresse perpétuelle.

Heureusement, quand il arriva en Phrygie, il rencontra la déesse Cybèle. Celle-ci le délivra de sa folie. Mais le cortège qui l'accompagnait était toujours aussi tapageur. Souvent des femmes se joignaient aux satyres et aux bacchantes, chantant et s'enivrant à leur tour. Peut-être est-ce pour cette raison que certains rois n'aimaient guère que Dionysos traverse leur royaume et perturbe l'ordre qui y régnait. Ainsi, Lycurgue, le roi des Édoniens, repoussa Dionysos avec une telle violence que celui-ci fut obligé de se réfugier dans les profondeurs de la mer. Plus tard, Penthée, le roi de Thèbes, voulut, lui aussi, s'opposer à Dionysos. Mais les femmes de son royaume qui s'étaient jointes au cortège des bacchantes, et parmi elles sa propre mère, le prirent, dans la folie de leur ivresse, pour un animal sauvage. Elles se jetèrent sur lui et le tuèrent.

Ainsi rejeté, Dionysos était obligé de continuer à errer. Sur un char, orné de pampres et de lierres, traîné par de noires panthères, il traversa l'Inde. Puis, un jour, il voulut revenir en Grèce, gagner l'île de Naxos. Pour cela, il loua les services d'un capitaine. Il s'embarqua sur ce vaisseau qui, bientôt, s'avéra ne pas être celui d'honnêtes marins, mais celui de redoutables pirates. Ces pirates n'avaient guère l'intention de le conduire à Naxos. Ils voulaient se rendre en Asie et, là, vendre Dionysos comme esclave. Seulement, ils ignoraient que leur passager était un dieu.

Quand ils virent leurs avirons se transformer en serpents, ils furent frappés de terreur. Quand des guirlandes de lierre et de vigne s'enroulèrent autour des mâts tandis que retentissaient les sons de flûtes invisibles, ils perdirent l'esprit. Devenus fous, ils plongèrent dans la mer et là, aussitôt, se métamorphosèrent en dauphins. Seul le timonier, qui avait deviné l'identité du passager, fut épargné. Ce fut lui qui mena Dionysos à Naxos.

Sur le rivage de cette île, une femme errait. C'était la princesse Ariane que Thésée avait abandonnée après avoir tué le Minotaure. Dionysos la consola et l'épousa.

De Nysa à Naxos, en passant par l'Inde et la Thrace, le fils de Zeus et de Sémélé avait vécu plus d'une aventure et affronté de grands dangers. Mais ce périple n'avait pas été inutile. Désormais, tous connaissaient Dionysos et sa puissance divine. Il pouvait enfin appartenir au panthéon des dieux de l'Olympe. Cependant, avant cela, il voulut accomplir une dernière mission. Il plongea dans le lac de Trézène dont les abîmes sans fond communiquaient avec les Enfers. Là, il retrouva sa mère et l'emmena sur l'Olympe afin qu'elle vive avec lui parmi les Immortels. Pendant ce temps, sur terre, les hommes continuaient de l'honorer. Masqués, dansant, chantant et buvant, ils traversaient les villes, se répandaient dans les campagnes. À cause de ces masques, Dionysos, dieu de la Vigne, devint aussi celui du Théâtre.

ÉOS
AURORE

Éos, sœur d'Hélios et de Séléné, est la déesse de l'Aurore. Elle était la fille du Titan Hypérion et de la Titanide Théia.

Chaque matin, Éos parcourait le ciel dans un char tiré par quatre chevaux ailés. Hélios, son fils, l'accompagnait dans cette course. Mais Éos n'était pas seulement la déesse de l'Aurore. C'était également une grande amoureuse. D'ailleurs, elle eut deux maris. De son premier mariage, avec Astraeos, naquirent de nombreux enfants : les vents Zéphyr, Borée et Notos, l'étoile du matin, Éosphoros, et les Astres. Avec son second mari, Tithonos, elle n'eut qu'un seul fils, Memnon, qui mourut fort jeune pendant la guerre de Troie.

Comme Tithonos était également un mortel, Éos ne voulut pas qu'il connaisse le même sort que son fils. Elle demanda à Zeus qu'il accorde à Tithonos la vie éternelle. Seulement, elle avait oublié que, même sans la mort, vivre c'est aussi vieillir. Tithonos devint un vieillard. D'abord, il se voûta. Puis il se paralysa. Il cessa de parler. Il cessa de penser. Il vivait, certes, mais réduit à l'état d'une vieille momie desséchée. Alors, Éos eut pitié de lui. Mais comme Tithonos ne pouvait pas mourir, elle le transforma… en cigale.

ÉROS
CUPIDON

Fils d'Aphrodite et d'Hermès, Éros est le dieu de l'Amour.

Pour certains, Éros était un jeune enfant aux ailes d'or et qui ne se séparait jamais de son carquois et de son arc. Certaines de ses flèches étaient d'or, les autres de plomb. Selon son humeur, Éros décochait dans le cœur des hommes des flèches d'or ou de plomb. Ceux qui avaient reçu une flèche d'or aimaient alors passionnément, les autres ne seraient jamais aimés. Cependant, pour Psyché, Éros ne fut pas un enfant, mais un magnifique jeune homme qui devint son mari.

GAIA

Gaia, la Terre,
est l'ancêtre maternel
des races divines
et des monstres.
Elle naquit après Chaos
et avant Éros.

Au début de l'univers, il n'y avait que Chaos et Ténèbres. Mais, un jour, surgit Gaia, la Terre. Comme elle se sentait seule, elle fit naître Ouranos, le Ciel, Pontos, la Mer. De son union avec Ouranos naquirent les Titans, les Titanides, les Cyclopes, les Hécatonchires. Elle enfanta encore les géants, les nymphes, les Érinyes, le monstre Typhon et Échidna, la femme-serpent mère de Cerbère [1]. Elle fut la grand-mère de tous les dieux qui, tous, la respectaient car ils savaient aussi qu'elle seule connaissait les secrets du destin.

1. Elle est aussi la mère de nombreux autres monstres (voir la généalogie, pp. IV-V).

GORGONES (LES)

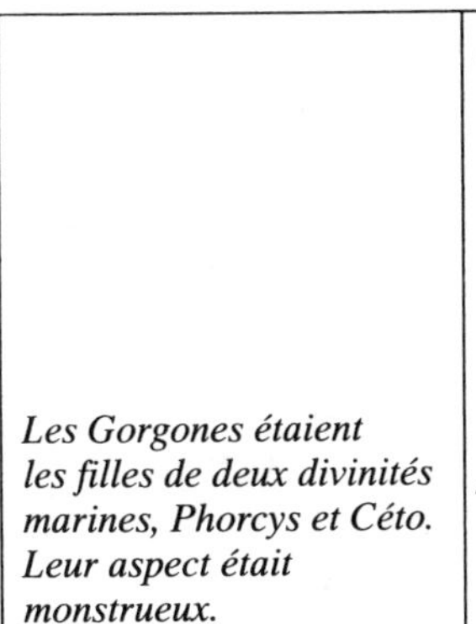

Les Gorgones étaient les filles de deux divinités marines, Phorcys et Céto. Leur aspect était monstrueux.

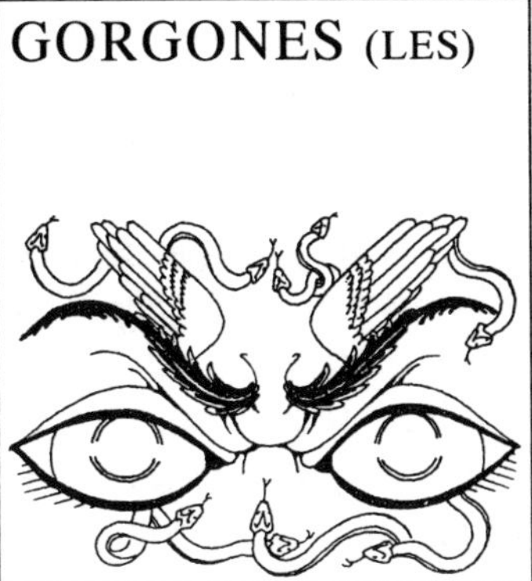

Il était autrefois trois sœurs. Elles se nommaient Sthéno, Euryale et Méduse. Sthéno et Euryale étaient immortelles, Méduse ne l'était pas. En revanche, la nature les avait toutes trois dotées d'une beauté éblouissante. Elles en tiraient orgueil et Méduse alla jusqu'à se vanter de surpasser Athéna en beauté. Pour se venger, la déesse les transforma en monstres. Leur visage ravissant devint une face ronde et hideuse. Leur longue chevelure ne fut plus qu'un grouillement de serpents. Ce qui avait été leur sourire découvrait désormais des défenses de sanglier entre lesquelles pendait une langue immense. À la place de leurs doigts effilés, des griffes de bronze avaient poussé en même temps que des ailes aux écailles d'or qui leur permettaient de voler.

Les hommes comme les dieux les redoutaient, car quiconque croisait leur regard étincelant et pénétrant était aussitôt changé en statue de pierre. Comment s'étonner, dans ces conditions, que nul n'osât s'approcher de l'île où elles vivaient au-delà du fleuve Océan[1] ? Pourtant, Persée, avec l'aide d'Athéna et d'Hermès, les aborda. Grâce à une ruse, il parvint à tuer Méduse. Il trancha sa tête, l'offrit à Athéna qui en orna sa cuirasse. Mais, du sang de Méduse, naquit un cheval merveilleux et ailé, Pégase.

1. Océan est l'aîné des Titans (voir p. 165).

HADÈS

PLUTON

Fils de Cronos
et de Rhéa.
Frère d'Hestia,
de Déméter et de Zeus.
Hadès est le dieu
des Enfers.

Quand Hadès naquit, il fut, comme tous ses frères et sœurs, à l'exception de Zeus, englouti par Cronos. De même, il fut libéré avec eux grâce à la ruse de Zeus. Il prit alors part à la lutte qui opposa les Titans aux Olympiens. Une fois les titans vaincus, les trois frères, Zeus, Poséidon et Hadès, décidèrent de se partager le monde. Zeus choisit le ciel, Poséidon la mer et Hadès le monde souterrain, les Enfers.

De nombreux fleuves séparaient le royaume des morts de la surface de la terre. Il y avait tout d'abord l'Achéron, le fleuve de l'Affliction, dont les eaux se mêlaient à celles du Cocyte, le fleuve des Gémissements. Il y avait ensuite le Phlégéton, véritable torrent de Feu, le Léthé à cause duquel les âmes oubliaient tout de leur vie passée. Enfin, venait le Styx à l'odeur nauséabonde sur la rive duquel se tenait Charon.

Ces fleuves franchis, les âmes empruntaient un sentier. Celui-ci les menait à la porte d'airain des Enfers gardée par Cerbère. Une fois cette porte passée, les âmes suivaient un chemin tracé dans un champ d'asphodèles. Au loin, elles pouvaient apercevoir le palais d'argent d'Hadès. Mais elles ne pouvaient voir le dieu lui-même car il était coiffé d'un casque magique, cadeau des Hécatonchires, qui le rendait invisible. Pourtant, il se tenait au bout de ce chemin, à un carrefour très exactement, et, là, il jugeait les âmes. Celles des justes suivaient un nouveau sentier au bout duquel elles découvraient les Champs Élysées, lieu des délices éternelles. Celles des méchants étaient précipitées au fond d'un gouffre et demeuraient à tout jamais au plus épais des ténèbres, où les Érinyes[1] les harcelaient sans trêve.

Dieu redoutable, Hadès n'était pas malveillant. Pourtant, nul n'aimait le rencontrer, pas même les dieux. Lorsqu'il voulut se marier, il dut enlever sa femme, Perséphone. Quant à la nymphe Leucé[2], dont il était amoureux, elle préféra, pour lui échapper, se transformer en un peuplier blanc qui se dressa tristement au bord du fleuve Oubli où les âmes venaient boire.

1. La plus célèbre des Érinyes s'appelle Mégère (voir la généalogie, pp. IV-V).
2. Son nom signifie la « Blanche » en grec.

HÉLIOS
SOL

Hélios est le fils des Titans Hypérion et Théia. Il est le frère d'Éos et de Séléné.

Hélios était un dieu d'une grande beauté. Sa chevelure avait l'éclat de l'or tout comme son palais qui n'était que lumière, or et ivoire. Chaque matin, à l'heure où Éosphoros pâlissait, les Saisons[1] ouvraient les portes du palais et avançaient le char d'Hélios attelé de pur-sang fougueux. Hélios saisissait les rênes et s'élançait. À mi-course, il atteignait le point le plus élevé du ciel. Une descente vertigineuse commençait alors et, chaque fois, Poséidon lui-même craignait de voir l'attelage et son maître s'abîmer dans l'Océan. Mais Hélios, habile conducteur, retenait ses chevaux et c'est avec douceur qu'ils pénétraient dans les flots pour se baigner, boire et se reposer après leur course folle.

1. Leur nom grec est « Heures » : elles sont filles de Zeus et de Thémis (voir pp. 159 et 170).

Ces périples quotidiens, par toute la terre, lui permettaient de tout voir et savoir. C'est ainsi qu'il put révéler à Héphaïstos l'infidélité d'Aphrodite, et à Déméter le nom du dieu qui avait enlevé Perséphone. Mais, à cause aussi de ses voyages, Zeus l'oublia au moment du partage de l'univers entre chaque dieu. En réparation, il offrit à Hélios l'île de Rhodes qui venait d'émerger.

Ce dieu, qui donnait aux hommes et à la terre la lumière, épousa l'une des filles de la Titanide Téthys et d'Océan. Ensemble, ils eurent de nombreux enfants, dont la magicienne Circé et Pasiphaé — qui devait se marier avec le roi Minos de Crète. Mais il aima également une mortelle, Clyméné. Celle-ci lui donna un fils, Phaéton. Souvent, Clyméné racontait à son fils que son père n'était autre qu'Hélios. Devenu jeune homme, Phaéton voulut savoir si sa mère lui avait bien dit la vérité. Il fit alors ce qu'aucun mortel n'avait fait avant lui. En dépit de la chaleur et de la lumière aveuglante, il monta jusqu'au palais d'Hélios. Là, le dieu lui assura qu'il était son fils. Ému, il ajouta que Phaéton pouvait tout lui demander. Il jurait par avance et sur le Styx de le lui accorder. Le jeune homme répondit alors qu'il voulait une fois dans sa vie conduire le char de son père. Ayant juré sur le Styx, Hélios ne pouvait revenir sur sa promesse. Il confia son équipage à Phaéton. Mais les pur-sang sentirent aussitôt que la main qui tenait les rênes n'avait pas la fermeté de celle de leur maître. Ils s'emballèrent, allèrent de gauche et de droite, bousculant les étoiles, enflammant les montagnes et traînant Phaéton évanoui de peur. Bientôt, les rivières elles-mêmes commencèrent à s'embraser. Le monde allait être détruit. Alors Zeus foudroya le jeune homme, brisa le char, tandis que les chevaux plongeaient dans la mer.

HÉPHAÏSTOS
VULCAIN

Héphaïstos, dieu du Feu et des Métaux, est le fils de Zeus et d'Héra.

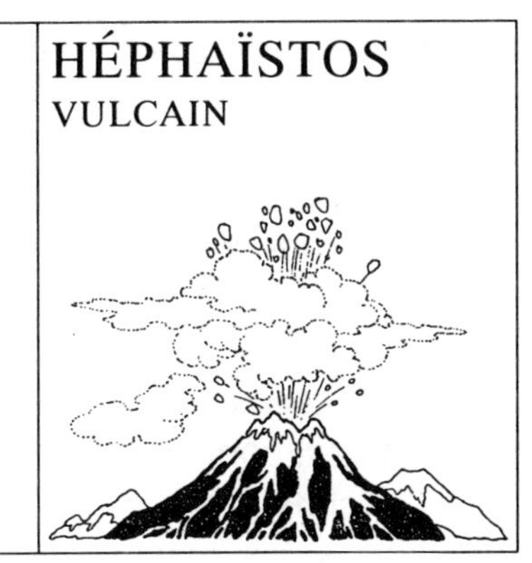

Seul de tous les dieux de l'Olympe, Héphaïstos était laid. Mais laid ! Vraiment laid, d'une laideur à faire peur. Cela ne suffisant pas, il était né en plus avec une jambe plus courte que l'autre. Héra était consternée. Elle avait mis au monde un enfant hideux, difforme et boiteux. Par orgueil autant que par honte, elle décida de cacher Héphaïstos aux autres dieux. Pour cela, elle ne trouva rien de mieux que de le jeter du haut de l'Olympe. Héphaïstos fit une chute terrible. Telle une étoile filante, il tombait, tombait, tombait… Mais le sort ne voulut pas qu'il se fracasse sur un rocher. L'Océan le reçut. Héphaïstos plongea dans ses flots. Là, la Néréide Thétis et sa sœur, Eurynome, le recueillirent et l'élevèrent dans une grotte sous-marine. Peut-être est-ce là qu'il apprit le travail des métaux. Lorsqu'il installa sa forge sous l'Etna, les dieux oublièrent combien il était laid car, de tous, Héphaïstos était certainement le plus aimable... Et puis, quel admirable forgeron il faisait ! Aidé de servantes en or, qu'il avait lui-même fabriquées et qui étaient capables de se mouvoir, secondé par les Cyclopes, Héphaïstos forgeait les foudres de Zeus, les armes des dieux et des héros, comme le casque d'Hadès, le bouclier d'Achille, la cuirasse d'Héraclès... Mais il forgea aussi les chaînes indestructibles qui attachaient Prométhée au Caucase et, bien sûr, le filet de bronze à l'aide duquel il emprisonna Aphrodite, sa femme, et son amant Arès.

HÉRA
JUNON

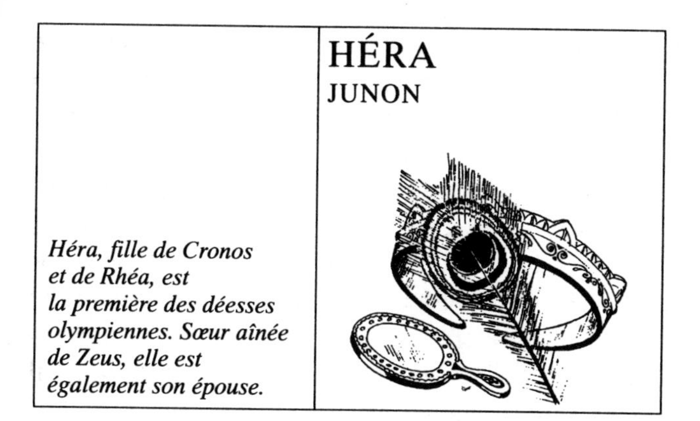

Héra, fille de Cronos et de Rhéa, est la première des déesses olympiennes. Sœur aînée de Zeus, elle est également son épouse.

Dans l'île de Samos, Rhéa venait de mettre au monde une jeune déesse, Héra, qui, à peine née, fut aussitôt avalée par son père, Cronos. Heureusement, grâce à la ruse de Zeus, elle revit le jour quelques années plus tard. Héra était de ces déesses dont on disait volontiers qu'elles étaient belles. Mais sa beauté tenait surtout à sa taille imposante, à son port de tête altier et à son apparence qui reflétait en tout point sa fierté. Une déesse aussi orgueilleuse ne pouvait épouser qu'un seul dieu, Zeus. C'est ce qui arriva. Le mariage fut célébré avec majesté. Tous les dieux se rendirent au jardin des Hespérides où les reçurent les jeunes mariés. Là, dans ce jardin merveilleux, où des torrents d'ambroisie coulaient entre les arbres aux feuilles et aux fruits d'or, les dieux offrirent à

Héra et Zeus des cadeaux somptueux. Le mariage s'annonçait ainsi sous les meilleurs auspices. Hélas, Zeus, bien que roi des dieux, n'était pas le plus fidèle des maris ! Il ne cessait de tomber amoureux de nymphes et de jeunes mortelles. Chaque fois qu'elle l'apprenait, Héra entrait dans une rage folle et décidait de se venger. Non seulement elle persécutait celles que Zeus avait aimées, mais elle s'attaquait aussi à leurs enfants, les frappant de folie. C'est ainsi que le héros Hercule fut contraint d'exécuter ses douze travaux.

Jalouse, orgueilleuse, elle ne tolérait pas les infidélités de Zeus, mais ne supportait pas non plus que l'on puisse dire qu'il y avait une déesse ou une femme plus belle qu'elle. Là encore, elle réagissait par la plus implacable des vengeances. Elle décida tout simplement que Troie serait détruite parce que l'un de ses jeunes princes, Pâris, avait osé dire qu'Aphrodite était plus jolie qu'elle.

Mais, un jour, Zeus en eut assez de ses colères et de ses vengeances. Pour la punir, il la suspendit par les pieds à l'un des pics de l'Olympe après avoir attaché deux enclumes à chacun de ses poignets. Cependant, même une aussi terrible punition ne pouvait guérir Héra de son orgueil et ce n'est pas sans raison que l'animal qu'on lui attribue est le paon. Néanmoins, malgré ses colères, toutes les épouses de Grèce la considéraient comme leur protectrice naturelle.

HÉRACLÈS
HERCULE

Héraclès est le fils de Zeus et d'Alcmène, une noble mortelle descendant de la famille de Persée.

Il y avait à Thèbes un général particulièrement courageux et intelligent, Amphitryon. Celui-ci était marié à une femme d'une grande beauté, Alcmène. Un jour, Amphitryon dut partir à la guerre. Zeus, qui était amoureux d'Alcmène, profita de l'occasion. Il prit les traits d'Amphitryon et sa place dans le lit de sa femme. Quelques mois plus tard, Alcmène accoucha de jumeaux, Iphiclès et Héraclès. Iphiclès était bien le fils d'Amphitryon. En revanche, Héraclès était celui de Zeus. Apprenant la nouvelle, Héra réagit comme toujours dans ces cas-là. Elle se mit en colère et jura de se venger. D'ailleurs, elle ne tarda guère à se manifester. Elle guetta Alcmène, attendit le moment où, après avoir couché ses enfants, elle quittait leur chambre, et, là… envoya deux énormes serpents. Elle les regarda ramper, se glisser le long du berceau des jumeaux puis y pénétrer. Déjà, elle les imaginait dévorant les enfants. Mais, soudain, Héraclès se réveilla. Il prit un serpent dans chaque main, les saisit chacun à la gorge et les étouffa. Voyant cela, Amphitryon et Alcmène comprirent aussitôt que leur fils était promis à un grand destin et ils décidèrent de soigner particulièrement son éducation. Son père lui apprit à conduire un char. Eurytos à tirer à l'arc. Castor à manier les armes et Eumolpos à jouer de la lyre. À dix-huit ans, Héraclès était un adolescent d'une force incroyable auquel aucun adversaire ne pouvait résister, et il ne tarda pas à le prouver. En effet, dans les bois du Cithéron, proches de Thèbes, vivait un lion redoutable qui dévastait les troupeaux d'Amphitryon. Héraclès décida de mettre fin à ces ravages et tua le lion. Mais ce lion n'était pas le seul problème des Thébains. Ils avaient également des ennemis, les Minyens, qui exigeaient d'eux, en guise de tribut de guerre, de très lourds impôts. Pour les Minyens, les Thébains ne livraient jamais assez d'or, de bijoux, de blé, de chevaux. Là encore, Héraclès décida d'y mettre fin et, à la tête de l'armée thébaine, vainquit définitivement les Minyens. Pour le remercier, le roi de Thèbes lui accorda la main de sa fille, la princesse Mégara.

Héraclès aimait beaucoup sa femme et, ensemble, ils eurent trois enfants. Ils auraient pu vivre ainsi très longtemps, très vieux et très heureux…

Mais ce serait sans compter Héra qui, elle, n'avait rien oublié de sa première vengeance ratée. Elle attendait toujours le moment qui lui semblerait propice pour recommencer. Et ce moment se présenta. Voyant combien Héraclès était attaché à sa femme et à ses enfants, Héra le rendit fou. Dans sa démence, Héraclès se précipita sur sa femme et la tua. Puis, sans qu'on puisse l'arrêter, il égorgea ses enfants. Quand la raison lui revint, il vit les cadavres, ses propres mains tachées de sang. Il demanda ce qui s'était passé. Avec précaution, son père, Amphitryon, lui révéla la vérité. Alors, Héraclès voulut mourir à son tour. Mais Thésée l'empêcha de se suicider et lui demanda de venir vivre avec lui à Athènes. Héraclès le suivit, mais il n'arrivait pas à oublier le meurtre qu'il avait commis, le sang dont il s'était souillé. Ne supportant plus son remords, il se rendit à Delphes et demanda à la Pythie ce qu'il devait faire. Celle-ci lui conseilla en effet de se purifier. Et, pour cela, il lui fallait se mettre sous les ordres de son cousin Eurysthée, le roi de Mycènes.

Quand ce roi entendit Héraclès, dont il était très jaloux, lui proposer de devenir son esclave, il eut aussitôt une idée. Il lui ordonna de remplir douze missions, toutes plus périlleuses les unes que les autres. Eurysthée était bien persuadé que son cousin n'en sortirait pas vivant.

La première de ces missions était de tuer *le lion de Némée*. Or Eurysthée, et tout le monde avec lui, savait pertinemment qu'aucune arme ne pouvait tuer ce lion, fils de la Vipère Échidna. N'ignorant pas que les flèches rebondiraient sur la peau de ce monstre sans l'égratigner, Héraclès décida de ruser. Il boucha l'une des deux issues de la grotte où vivait le lion. Puis, armé de sa massue, il força l'animal à rentrer dans la caverne et là, le saisissant dans ses bras, l'étouffa. Ensuite, il parvint à le dépecer en utilisant les propres griffes du monstre pour l'écorcher ; de la dépouille, il se fit un manteau avec, en guise de capuchon, la tête du lion.

Étonné, Eurysthée confia à Héraclès son deuxième travail : tuer *l'hydre de Lerne.* Cette hydre était un monstre à neuf têtes dont les narines exhalaient une odeur si putride que tous ceux qui s'en approchaient mouraient aussitôt. De plus, la tête du milieu était immortelle. Quant aux huit autres, elles repoussaient aussitôt qu'on les coupait. Comment s'y prendre pour la tuer ? D'abord, il fallait se tenir à distance de son haleine. Pour cela, une seule solution, couper les têtes d'un coup de flèche enflammée. Seulement, voilà, les têtes repoussaient aussitôt. Comment les en empêcher ? Le neveu d'Héraclès, Iolaos, eut alors une idée. Il allait appliquer des brandons sur chaque tête coupée afin d'éviter la cicatrisation immédiate des chairs et la repousse des têtes. La ruse de Iolaos réussit. Restait la dernière tête, la tête immortelle. Pour celle-ci, Héraclès prit une serpe d'or et, dès que la tête fut tombée, il l'enterra sous un rocher.

Une fois de plus, Eurysthée fut bien étonné, mais il ordonna cependant à Héraclès son troisième travail : tuer *le sanglier d'Érymanthe*. Ce sanglier était en réalité un véritable monstre qui vivait dans les fourrés du mont Érymanthe. Et, pour l'attraper, il fallait déjà le faire sortir de son fourré. Héraclès poussa des cris aigus. L'animal, affolé, pointa le bout de ses défenses. Héraclès se mit alors à le poursuivre afin de l'épuiser. Mais, tout en le poursuivant, il l'entraîna vers une profonde crevasse remplie de glaces et de neige où le sanglier finit par tomber.

À Mycènes, Eurysthée était tout à fait déconcerté. À défaut d'envoyer son cousin à la mort, il allait lui imposer des travaux impossibles. Tiens, par exemple, *la biche de Cérynie*, cette biche consacrée à Artémis et que l'on disait aussi rapide à la course qu'un cheval ailé, qu'il aille donc l'attraper ! De nouveau, Héraclès quitta Mycènes pour accomplir sa quatrième mission. Pendant un an, Eurysthée n'entendit guère parler de son cousin. Cette fois, il en était sûr, il avait échoué. Non ! il avait fallu un an à Héraclès pour traquer cette biche, mais, l'année écoulée, il se présenta devant les portes de Mycènes, portant sur ses épaules la biche aux sabots d'airain et aux cornes d'or.

Eurysthée se gratta le menton, tira sur sa barbe. Que pourrait-il bien inventer pour le cinquième de ses travaux ? Soudain, il eut une idée. Il y avait en Élide un roi du nom d'Augias. Il possédait des milliers de bœufs entassés dans une écurie qui n'avait pas été nettoyée depuis des années. Voilà, il allait lancer à son cousin ce pari impossible : nettoyer *les écuries du roi Augias* en un jour ! Là, à n'en pas douter, Héraclès reviendrait bredouille.

Héraclès partit pour l'Élide. En effet, les écuries d'Augias étaient d'une saleté incroyable. Il aurait fallu des jours et des mois pour les nettoyer. Que faire ? Tout à coup, il aperçut deux fleuves, l'Alphée et le Pénée, qui coulaient non loin de là. Sans perdre un instant, Héraclès fit sortir tous les bœufs, abattit un mur de l'écurie. Quelques minutes plus tard, il détournait les eaux des fleuves qui, aussitôt, s'engouffrèrent dans l'écurie et la débarrassèrent de son fumier en un clin d'œil.

Héraclès avait tué l'hydre de Lerne, capturé la biche de Cérynie… « Vraiment, cet homme, mon cousin, est invincible ! pensa Eurysthée. Mais s'il est invincible, je suis ingénieux… Quel sixième travail pourrais-je lui imposer ? Ah, *les oiseaux du lac Stymphale* ! Ils ont fui un beau jour devant les loups. Ils se sont réfugiés dans les bois environnant ce lac et ils ont crû et multiplié. Depuis, ils sont des milliers et ils dévastent la région. Même un tireur à l'arc aussi habile qu'Héraclès n'en viendra pas à bout. » Et, ayant réfléchi, Eurysthée ordonna à son cousin d'exterminer les oiseaux du lac Stymphale. Il faut préciser que ces oiseaux étaient habiles et nichés de façon presque invisible dans la forêt. Il y avait donc un problème : parvenir à les faire s'envoler. Là, une déesse intervint. Après tout, Héraclès était le fils de Zeus ! Aussi Athéna lui remit-elle des castagnettes de bronze. Dès que notre héros eut commencé à en jouer, le vacarme fut si épouvantable que tous les oiseaux s'envolèrent. Leur multitude assombrissait les eaux du lac. Mais Héraclès décochait flèche sur flèche et, l'un après l'autre, ils tombèrent, transpercés.

Trop, c'était trop ! Encore une victoire et Eurysthée risquait bien de perdre sa couronne. Heureusement, il eut une subite inspiration. Il ordonna aussitôt à son cousin son septième travail : dompter *le taureau de Crète.* Ce taureau, peu ordinaire, avait un jour surgi de la mer. Devant un tel prodige, le roi de Crète, Minos, promit à Poséidon de lui offrir l'animal en sacrifice. La date de celui-ci approchait et Minos pensait de plus en plus qu'il serait dommage d'immoler une si belle bête. Il offrit donc à Poséidon un autre taureau. Alors, le dieu de la Mer, très en colère, se vengea. Il rendit le taureau fou furieux. Celui-ci se mit à courir dans toute l'île, encornant, brisant, dévastant, sans que personne ne puisse l'arrêter. Seul Héraclès parvint à le dompter après une longue lutte.

Dompter un taureau fou, soit ! Mais apprivoiser des chevaux enragés, nourris de chair humaine… Persuadé que son cousin, cette fois, échouerait, Eurysthée l'envoya capturer *les juments de Diomède*, le roi de Thrace. Ce serait là son huitième travail. Héraclès pénétra dans l'écurie et vit ces juments terribles, attachées par des chaînes de fer à leur mangeoire de bronze et en train de se repaître de chair humaine. Il les détacha et les conduisit jusqu'à une plage. Mais Diomède, ce roi cruel, s'était aussitôt aperçu de leur disparition. En un instant, il se lança à la poursuite d'Héraclès, suivi de quelques-uns de ses compagnons. Tandis que les juments hennissaient et se cabraient, Héraclès se battait contre cette troupe. Bientôt, les amis de Diomède reculèrent et s'enfuirent, laissant le roi aux mains d'Héraclès. Alors, celui-ci jeta Diomède au milieu des juments furieuses. Elles se précipitèrent sur lui, le dévorèrent et soudain, comme par enchantement, devinrent douces et dociles.

Eurysthée était de plus en plus perplexe. Cette fois, pour mieux réfléchir, il ôta sa couronne. De toute évidence, Héraclès était capable de tuer n'importe quel monstre, de dompter n'importe quel animal. Mais réussirait-il aussi bien avec les hommes ? Et, à propos d'hommes, Eurysthée eut une idée. Il ordonna à son cousin son neuvième travail : voler *la ceinture d'Hippolyte*, la reine des Amazones. Or chacun savait que les Amazones constituaient un peuple de femmes guerrières, ennemies des hommes. Jamais elles ne laisseraient un homme s'approcher d'elles, et encore moins de leur reine. Pourtant, lorsque Héraclès arriva au pays des Amazones, il lui suffit d'un sourire pour que Hippolyte ordonne à ses guerrières de le laisser passer et d'un autre sourire pour qu'elle accepte de lui remettre cette ceinture d'or que le dieu Arès lui avait autrefois donnée. Mais Héra veillait toujours et l'idée d'une nouvelle vengeance lui vint. Elle prit les traits d'une Amazone et harangua ses compagnes. Héraclès mentait. Il n'était venu que pour enlever leur reine. Ce fut aussitôt un soulèvement général. Héraclès dut s'enfuir, mais dans le combat il tua Hippolyte, croyant que c'était elle qui l'avait trahi. Néanmoins, il revint à Mycènes et offrit à Admété, la fille d'Eurysthée, la ceinture d'or de la reine.

Cette fois, la dixième, Eurysthée décida de compliquer la tâche. Non seulement Héraclès devrait affronter le géant Géryon, ramener son troupeau d'un millier de bœufs en Grèce, mais de plus il lui faudrait accomplir un voyage périlleux. En effet, *les bœufs de Géryon* se trouvaient au-delà de l'Océan, dans une île appelée Érythie.

Héraclès emprunta à Hélios une coupe en or sur laquelle il navigua. Mais, parvenu au bout de l'Océan, il fut arrêté par une montagne. C'était derrière celle-ci que se trouvait l'île d'Érythie. Sans se départir de son calme, Héraclès, dans un effort colossal, écarta les deux pans de la montagne. Il pouvait enfin aborder dans l'île. Mais, là, il se trouva face à face avec le bouvier de Géryon, Eurythion, sur les talons duquel marchait un chien monstrueux, Orthros. Orthros s'élança pour se jeter à la gorge d'Héraclès, mais celui-ci l'assomma d'un coup de massue. D'un autre coup, il fit de même avec Eurythion. Alerté par les aboiements et les bruits de lutte, Géryon arriva. Aussitôt, certain de l'emporter, il défia Héraclès ; celui-ci banda son arc et le tua d'une seule flèche, puis il embarqua les bœufs sur la coupe en or et rentra à Mycènes.

Si Héraclès était capable d'affronter un géant et d'accomplir un voyage périlleux, il fallait lui compliquer encore un peu plus la tâche. Aussi, pour le onzième travail, Eurysthée demanda à son cousin de lui rapporter *les pommes d'or du jardin des Hespérides*. Héraclès considéra Eurysthée d'un œil perplexe. Mais, voyons, personne ne savait où se trouvait le jardin des Hespérides ! Cependant, Héraclès partit. Chemin faisant, il se demandait qui pourrait le renseigner. Et, soudain, il eut une idée. Ces pommes d'or, Gaia les avait offertes à Héra lors de son mariage avec Zeus. Héra les avait déposées dans un jardin et avait confié la garde de ce jardin aux Hespérides. Or, qui était le père des Hespérides ? Atlas ! Il suffisait d'aller voir Atlas.

Supportant la voûte du ciel sur ses épaules, Atlas répondit à Héraclès qu'il savait où se trouvait le jardin, mais ne pouvait le lui révéler. En revanche, si Héraclès consentait à le remplacer et à porter le ciel à sa place, il irait chercher les pommes d'or. Héraclès accepta le marché et Atlas partit pour le jardin des Hespérides. Quand il revint, un peu plus tard, il tenait effectivement les pommes entre ses mains, mais il s'était également dit que si Héraclès pouvait le remplacer quelques instants, il pouvait aussi le faire à vie. Croyant duper le héros, il lui proposa d'aller porter lui-même les pommes à Mycènes. Héraclès comprit la ruse d'Atlas et feignit d'accepter. Il lui demanda seulement de reprendre la charge de l'univers le temps qu'il mette un coussin sur ses épaules, ce qui rendrait sa tâche plus aisée. Atlas le crut et, tandis qu'il reprenait le ciel sur ses épaules, Héraclès s'enfuit avec les pommes d'or du jardin des Hespérides.

Décidément, rien ne semblait impossible à Héraclès ! Pourtant, il existait une tâche qu'il ne pourrait pas accomplir, qu'aucun mortel ne pouvait accomplir de son vivant : descendre aux Enfers et en revenir. Eurysthée ordonna alors à son cousin son douzième travail : *amener sur la terre le chien Cerbère.* Aidé par Hermès et Athéna, initié aux mystères d'Éleusis, Héraclès trouva le chemin des Enfers et arriva jusqu'au bord du Styx. Là, il força Charon à ramer et à le conduire jusqu'à la porte d'airain où se tenait Cerbère. Il franchit la porte et demanda à Hadès la permission d'emmener Cerbère à Mycènes. Hadès accepta, mais à une condition : Héraclès ne se servirait d'aucune arme pour contraindre Cerbère. Le héros se soumit à ces conditions et commença à lutter avec le chien. Soudain, il parvint à emprisonner ses trois têtes entre ses bras. Cerbère était pris à la gorge, incapable de se débattre davantage. Quand Eurysthée aperçut le chien que portait son cousin, il fut terrifié et lui ordonna de le reconduire immédiatement aux Enfers. Héraclès lui obéit et Eurysthée admit que son cousin était invincible. Il le libéra de l'esclavage auquel Héraclès était venu se soumettre et, à cet instant, le héros oublia l'horreur de son crime. En accomplissant ces douze travaux, il s'était purifié du sang qu'il avait versé. Mais, après ces exploits, il connut encore bien d'autres aventures.

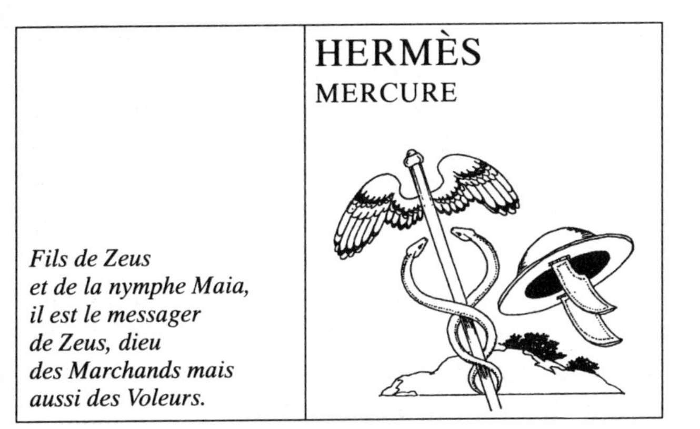

HERMÈS
MERCURE

*Fils de Zeus
et de la nymphe Maia,
il est le messager
de Zeus, dieu
des Marchands mais
aussi des Voleurs.*

Zeus tomba un jour amoureux de l'une des sept filles d'Atlas, Maia. Ensemble, ils eurent un enfant, Hermès. Dès qu'il fut né, Maia fit ce que faisaient toutes les mères en ces temps-là. En guise de langes, elle l'entoura de bandelettes, à la manière d'une momie, puis le déposa dans un berceau. Cependant, à la différence des autres mères, elle plaça ce berceau dans une grotte et s'en alla. À peine Maia partie, Hermès se débarrassa de ses bandelettes et prit la route à son tour. Il se rendit en Macédoine. Or, à cette même époque, Apollon était berger et gardait des troupeaux… en Macédoine. Alors que son demi-frère avait le dos tourné, Hermès lui vola cinquante vaches qu'il emmena dans le Péloponnèse en les traînant par la queue. Seulement, les traces de pas des vaches risquaient de mener directement Apollon au voleur. Hermès eut alors l'idée d'attacher des branchages à ses chevilles et ainsi, tout en marchant, il effaçait les traces de pas. Une fois arrivé dans le Péloponnèse, Hermès sacrifia deux bêtes aux douze dieux de l'Olympe et cacha le reste du troupeau. Ce forfait commis, il revint tranquillement dans sa grotte et se coucha dans son berceau. Pendant ce temps, Apollon avait découvert le vol et était parti à la recherche de ses cinquante vaches. Il fouilla coins et recoins. Pas la moindre trace de ses bêtes, pas le plus petit indice révélant la présence d'un voleur. Tout ce qu'Apollon trouva fut un enfant dans son berceau. Néanmoins, ne voulant écarter aucune possibilité, il fit comparaître Hermès devant le tribunal du dieu. Là, Hermès raconta la plus belle des histoires, tout en charmant son auditoire. Mais, en parlant, il déroba le carquois et les flèches d'or d'Apollon qui, une fois de plus, lui tournait imprudemment le dos. Zeus devina aussitôt l'identité du voleur. Mais il ne pouvait châtier son fils, si beau et si jeune. Il lui demanda seulement de dire où il avait caché le troupeau. Hermès obéit et, comme Apollon allait se mettre en colère, il sortit une lyre et commença à en jouer. C'était une lyre faite de trois cordes attachées à une écaille de tortue et les sons qu'il en tirait étaient tellement harmonieux qu'Apollon, dieu de la Musique, oublia aussitôt sa colère. Il proposa alors un marché à Hermès. S'il lui donnait sa lyre, en échange, lui,

Apollon, ferait une croix sur le vol des vaches. Le marché fut conclu. Hermès et Apollon devinrent de grands amis et Zeus décida que son plus jeune fils serait désormais le messager des dieux. Pour cela, il lui remit des sandales et un casque ailés et Apollon, pour mieux sceller leur amitié, lui offrit un caducée, deux serpents enroulés autour d'un bâton.

HESTIA

VESTA

Hestia, déesse du Foyer, est la fille aînée de Cronos et de Rhéa.

Hestia était la fille aînée de Cronos et de Rhéa, la première que son père avala. Douce, charitable, elle fut aimée de Poséidon et d'Apollon, mais refusa toujours de se marier. De même, elle ne quitta jamais l'Olympe pour vivre des aventures terrestres. Malgré cela, elle était l'une des déesses que les hommes respectaient le plus, car elle avait inventé l'art de construire des maisons. C'est pour cette raison que chaque feu brûlant dans un foyer lui était dédié. Avant et après chaque repas, les hommes lui faisaient une offrande. Et quand ils devaient quitter leur demeure pour s'installer ailleurs, ils emportaient des charbons ardents pris dans leur cheminée. Dès qu'ils étaient arrivés à destination, ils allumaient un feu avec ces charbons et construisaient leur nouvelle maison autour de ce foyer. Ainsi, elle serait protégée par la douce déesse Hestia.

LÉTO
LATONE

Léto est la fille des Titans astraux Cœos et Phœbé.

Léto fut aimée de Zeus qui, pour s'unir à elle, eut recours à une ruse : il la métamorphosa en caille après avoir pris lui-même la forme de cet oiseau. Héra, apprenant que Léto était enceinte de jumeaux divins, la poursuivit de sa jalousie terrible, en interdisant à tous les lieux de la terre de l'accueillir. Léto fut donc obligée d'errer à travers le monde pour trouver un asile sûr. De plus, Héra avait interdit à Léto d'accoucher dans un endroit sur lequel brillaient les rayons du soleil.

Zeus donna enfin l'ordre au vent Borée de la porter sur ses ailes jusqu'à une île flottante. Poséidon fit alors déferler sur l'île une immense vague, de sorte qu'elle fut à l'abri du soleil.

Là, au pied d'un palmier, Léto attendit neuf jours et neuf nuits sa délivrance, car Héra retenait auprès d'elle la déesse Ilithyie, celle qui favorise les accouchements heureux. Toutes les déesses de l'Olympe, voyant souffrir la pauvre Léto, offrirent à Héra, pour apaiser sa colère, un collier d'ambre et d'or. Enfin Léto accoucha d'Apollon et d'Artémis.

Après cette naissance, Poséidon fixa l'île de Délos au fond de la mer, par quatre colonnes, et celle-ci devint féconde.

Léto fut une mère très aimée de ses enfants qui s'efforcèrent de la défendre contre ceux qui l'offensaient ou voulaient lui faire violence.

ENTRACTE

■ POUR JOUER AVEC LE DICTIONNAIRE ■

Un dictionnaire ne se lit pas comme une histoire unique : celui-ci raconte des *histoires*, telles que les ont imaginées des hommes cherchant à expliquer l'univers par des récits fabuleux, il y a plus de deux mille ans.

D'*Adonis* à *Zeus*, chaque article est une invitation à une lecture en forme de promenade : une histoire vous mène à une autre, vous retrouvez ses héros — divins, monstrueux, humains — d'une aventure à l'autre.

Vous pourrez encore les (re)découvrir au gré des jeux proposés dans l'Entracte : en organisant votre parcours d'une page à l'autre, vous allez avoir l'occasion de tester vos capacités de lecteur.

En lecteur averti, vous devrez faire preuve de perspicacité et de réflexion.

Pour vous aider, la déesse de la Sagesse vous prête sa chouette : son regard perçant vous permettra de retrouver dans les pages qu'elle aura sélectionnées pour vous les réponses aux questions posées dans les jeux.

En lecteur rapide, vous devrez faire preuve de méthode et d'efficacité.

Pour vous aider, le Messager des dieux vous prête ses chaussures : leurs ailes déployées vous permettront de répondre aux questions le plus vite possible en vous reportant aux pages indiquées sans tarder.

MYTHES ET MYTHOLOGIE

Chaque civilisation possède un ensemble de légendes primitives pour tenter d'expliquer la naissance de l'univers — **la genèse** (du grec γένεσις, *génésis*, qui signifie naissance, génération) — et son évolution jusqu'à l'apparition de l'homme. Souvent, de nombreuses similitudes apparaissent entre ces différentes légendes : la création de l'homme et de la femme, le déluge dévastateur, par exemple, présentent bien des points communs entre les récits bibliques et ceux transmis par l'héritage gréco-romain ; quant aux aventures des grands héros, elles se retrouvent aussi bien d'une tradition à l'autre, malgré quelques variantes. Ces histoires merveilleuses — au sens où elles font intervenir le surnaturel — constituent un ensemble cohérent, imaginé par les hommes pour rendre compte du monde dans lequel ils vivent : **la mythologie** (du grec μῦθος, *mythos*, qui désigne tout récit produit par l'imagination, donc échappant au souci de réalité).

En Grèce, des récits d'abord oraux puis écrits sont mis en forme très tôt pour tenter de donner une sorte d'histoire chronologique et explicative du monde organisé, que l'on appelle la **cosmogonie** (du grec κόσμος, *cosmos*), c'est-à-dire la « genèse de l'univers ordonné », des unions primordiales de la Terre (Γαῖα, *Gaia*) jusqu'à l'apparition des dieux de l'Olympe, dont témoigne la **théogonie** (du grec θεός, *théos*, dieu), c'est-à-dire la « genèse des dieux » (voir les deux tableaux généalogiques, pp. IV-V).

La plus célèbre de ces histoires du monde est l'œuvre du poète **Hésiode**, né au VIIIe siècle avant J.-C. dans le petit village d'Ascra, en Béotie (Grèce continentale). Il a composé deux poèmes : l'un, *La Théogonie* (1 022 vers), résume les conceptions grecques sur la création du monde et offre une synthèse originale entre les traditions venues d'Orient et les croyances apportées au deuxième millénaire avant J.-C. par les envahisseurs aryens venus d'Europe centrale pour s'installer en Grèce ; l'autre, *Les Travaux et les Jours* (828 vers), propose des conseils pratiques et des préceptes moraux pour la vie quotidienne des paysans de son temps, mais aussi des récits merveilleux, comme le mythe de Pandore et celui de l'Âge d'or. C'est sur cette œuvre que s'élabore par la suite l'essentiel de la mythologie grecque puis romaine*.

* Voir, dans la même collection, *Contes et légendes mythologiques*, *Les Livres des merveilles* (2 volumes).

GAIA (*Terre*)

+ PONTOS (*le Flot de la Mer*)

- NÉRÉE dit le « Vieillard de la Mer » possède le pouvoir de métamorphose père des 50 Néréides
- THAUMAS
  - les HARPYIES (= *les Ravisseuses*) 3 monstres mi-femmes mi-oiseaux
- PHORCYS + CÉTO (= *la Baleine*)
  - les GRÉES (= *les Vieilles*) 3 vieilles femmes qui n'ont qu'un seul œil et qu'une seule dent pour 3
  - les GORGONES
    - STHÉNO
    - EURYALE
    - MÉDUSE

    unie à Poséidon, Méduse conçoit 2 êtres fabuleux qui naissent de son cou tranché
    - CHRYSAOR (= *Épée d'or*), le père du géant à 3 corps GÉRYON
    - PÉGASE, le cheval ailé

+ TARTARE (*le Gouffre sous les Enfers*)

- ÉCHIDNA (= *la Vipère*) dotée d'un corps de femme terminé par une queue de serpent
- TYPHON géant ailé doté d'yeux lançant des flammes et de 100 têtes de dragon à la place des doigts

ÉCHIDNA + TYPHON :

- CERBÈRE, le chien à 3 têtes qui garde l'entrée des Enfers
- ORTHROS, le chien qui garde les troupeaux de Géryon
- l'HYDRE de Lerne, énorme serpent aquatique à neuf têtes
- le DRAGON à 100 têtes qui garde le pommier d'or des Hespérides
- la CHIMÈRE (= *la Chèvre*), monstre à 3 têtes (lion, chèvre, serpent) qui crachent des flammes

unie à son propre fils ORTHROS, ÉCHIDNA met au monde une deuxième série de monstres ⇨

- le LION de Némée
- la SPHINX, monstre ailé à tête de femme sur un corps de lion
- le DRAGON de Colchide qui garde la Toison d'Or

N.B. Ces êtres fabuleux (divinités ou monstres) sont distingués selon leur sexe : masculin (ex. NÉRÉE) ou féminin (ex. CÉTO).

GAIA (*Terre*)

+ OURANOS (*le Ciel*)

6 TITANS	**6 TITANIDES**	**3 CYCLOPES**	**3 HÉCATONCHIRES**
		(= *Œil rond*)	(= *Cent bras*)
OCÉAN	THÉIA	ARGÈS	COTTOS
COEOS	RHÉA	STÉROPÈS	BRIARÉE
CRIOS	THÉMIS	BRONTÈS	GYGÈS
HYPÉRION	MNÉMOSYNE		
JAPET	PHOEBÉ		
CRONOS	TÉTHYS		

+ du sang d'OURANOS mutilé par Cronos

tombé sur la Terre :
- GÉANTS
- MÉLIADES, les nymphes des frênes
- 3 ÉRINYES
  - ALECTO
  - TISIPHONE
  - MÉGÈRE

tombé dans le Flot de la Mer :
- APHRODITE

CRONOS + RHÉA

HADÈS	HESTIA
POSÉIDON	DÉMÉTER
ZEUS	HÉRA

LES OLYMPIENS

ZEUS + MÉTIS, fille d'Océan et de Téthys .... → ATHÉNA
HÉRA .... → ARÈS
LÉTO, fille de Coeos et de Phoebé .... → APOLLON et ARTÉMIS
MAIA, fille d'Atlas (fils de Japet) .... → HERMÈS
SÉMÉLÉ, fille de Cadmos (roi de Thèbes).. → DIONYSOS
HÉRA (seule) .... → HÉPHAÏSTOS

DESTINATION OLYMPE

Du haut de l'Olympe, les dieux vous ont choisi(e) pour vous faire découvrir leur royaume, mais avant d'avoir l'insigne honneur de les rencontrer, il vous faudra accomplir un tour de Grèce qui vous conduira dans plusieurs lieux célèbres liés à des récits mythologiques que vous venez de lire.

Voici les instructions du **Petit Guide du Routard Olympien** qui vous aidera à réussir votre voyage :

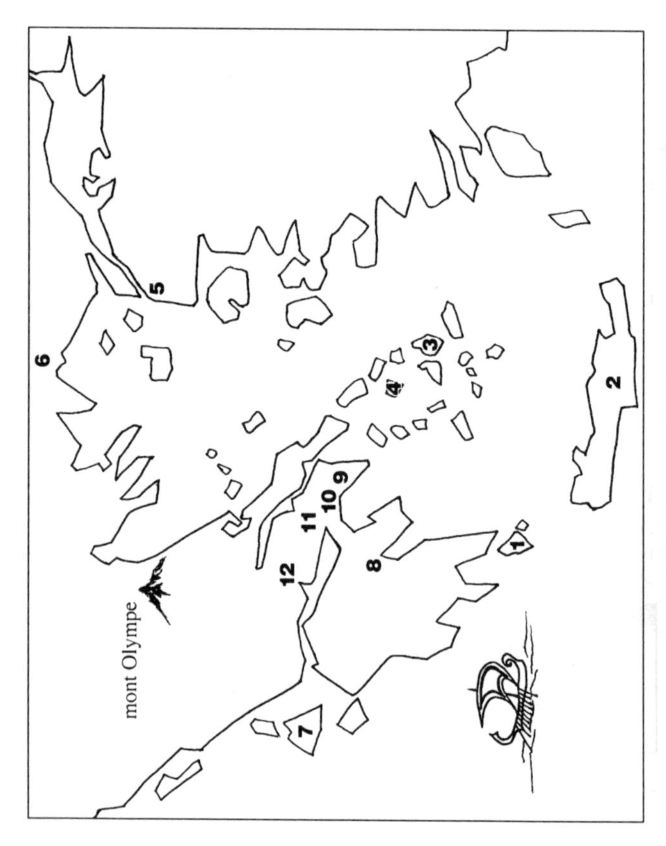

☞ En bateau ou à pied, suivez le circuit selon les étapes numérotées sur la carte de **1** à **12**.

☞ À chaque étape, lisez la brève information touristique de votre guide et inscrivez sur votre journal de bord le nom de l'endroit où vous venez d'arriver en repérant votre position sur la carte placée au début du livre.

☞ Vérifiez votre position en vous reportant à la page indiquée ➪ : si le nom à trouver a été correctement inscrit, vous gagnez le chèque-voyage en **EUROLYMPES** que vous offre gracieusement la **Banque Nationale Olympienne (BNO)**.

☞ Avant de quitter l'étape, répondez aux questions que vous pose le caissier de la banque ☺ et écrivez-les sur votre journal de bord : si vous hésitez, vous pouvez chercher les réponses aux pages sélectionnées par la chouette ➪ ; mais attention ! vous aurez besoin de toute la vitesse de vos chaussures ailées, car vous ne disposez que du temps fixé par le caissier pour lui répondre.

☞ Une fois le temps écoulé, relisez soigneusement toutes les pages sélectionnées : pour chaque réponse correctement écrite, il rajoutera sur votre compte-chèques la somme correspondante en **EUROLYMPES**.

☞ Après la dernière étape, calculez le montant de la somme accumulée sur votre compte-chèques, vous saurez alors si elle vous donne les moyens de parvenir au sommet de l'Olympe.

I - *Vous êtes à ?*

Au large de cette île, une créature d'une beauté merveilleuse a surgi de l'écume.

➪ p. 13

Banque Nationale Olympienne
CHÈQUE-VOYAGE
100 **EUROLYMPES**
Payable à ________________ **BNO**

☺	**1.** Quel est le nom de la créature ?	➪ p. 13	**50 EUROLYMPES**
3′	**2.** Vers quelle autre île sera-t-elle poussée par le vent de l'Ouest ?	➪ p. 13	**20 EUROLYMPES**
	3. Qui épousera-t-elle ?	➪ p. 13	**30 EUROLYMPES**

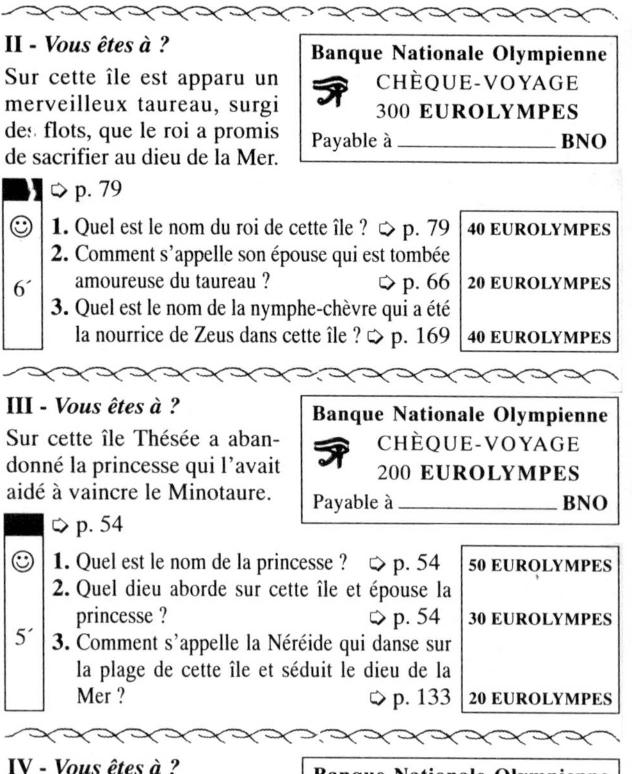

II - ***Vous êtes à ?***

Sur cette île est apparu un merveilleux taureau, surgi des flots, que le roi a promis de sacrifier au dieu de la Mer.

Banque Nationale Olympienne
CHÈQUE-VOYAGE
300 **EUROLYMPES**
Payable à ________________ **BNO**

➪ p. 79

☺ 6´

1. Quel est le nom du roi de cette île ? ➪ p. 79 — **40 EUROLYMPES**
2. Comment s'appelle son épouse qui est tombée amoureuse du taureau ? ➪ p. 66 — **20 EUROLYMPES**
3. Quel est le nom de la nymphe-chèvre qui a été la nourrice de Zeus dans cette île ? ➪ p. 169 — **40 EUROLYMPES**

III - ***Vous êtes à ?***

Sur cette île Thésée a abandonné la princesse qui l'avait aidé à vaincre le Minotaure.

Banque Nationale Olympienne
CHÈQUE-VOYAGE
200 **EUROLYMPES**
Payable à ________________ **BNO**

➪ p. 54

☺ 5´

1. Quel est le nom de la princesse ? ➪ p. 54 — **50 EUROLYMPES**
2. Quel dieu aborde sur cette île et épouse la princesse ? ➪ p. 54 — **30 EUROLYMPES**
3. Comment s'appelle la Néréide qui danse sur la plage de cette île et séduit le dieu de la Mer ? ➪ p. 133 — **20 EUROLYMPES**

IV - ***Vous êtes à ?***

Ces vilains rochers flottants ont été les seuls à donner asile à une femme sur le point d'accoucher, c'est pourquoi de solides piliers les ont ancrés dans la mer pour en faire une île magnifique. ➪ p. 17

Banque Nationale Olympienne
CHÈQUE-VOYAGE
200 **EUROLYMPES**
Payable à ________________ **BNO**

☺ 3´

1. Quel est le nom de la femme qui a trouvé asile sur cette île pour accoucher ? ➪ p. 17 — **60 EUROLYMPES**
2. Comment s'appellent les enfants qu'elle y met au monde ?
   une fille ➪ p. 18 — **20 EUROLYMPES**
   un fils ➪ p. 18 — **20 EUROLYMPES**

V - *Vous êtes à ?*

Cette ville riche et puissante a été assiégée pendant dix ans parce que l'un de ses princes avait enlevé la plus belle femme de Grèce. ➪ p. 108

Banque Nationale Olympienne
CHÈQUE-VOYAGE
400 **EUROLYMPES**
Payable à ______ **BNO**

☺ 7´

1. Comment s'appelle le prince ? ➪ p. 108 — **20 EUROLYMPES**
la femme ? ➪ p. 108 — **20 EUROLYMPES**

2. Quels sont les deux dieux qui ont construit les murs de cette ville ? ➪ p. 134 — **20 + 20 EUROLYMPES**

3. Quels sont les deux très célèbres héros qui se battent en duel sous les remparts de cette ville ? ➪ p. 164 — **10 + 10 EUROLYMPES**

VI - *Vous êtes à ?*

Cette province est la patrie du plus célèbre musicien de la Grèce antique. ➪ p. 113

Banque Nationale Olympienne
CHÈQUE-VOYAGE
100 **EUROLYMPES**
Payable à ______ **BNO**

☺ 4´

1. Quel est le nom du musicien ? ➪ p. 113 — **50 EUROLYMPES**

2. Comment s'appelle son épouse qu'il est allé chercher aux Enfers ? ➪ p. 113 — **10 EUROLYMPES**

3. Quel est le nom du roi de cette province dont Héraclès dut capturer les juments anthropophages ? ➪ p. 79 — **40 EUROLYMPES**

VII - *Vous êtes à ?*

Cette île est le royaume d'un héros qui est parti faire la guerre pendant dix ans et qui a mis dix autres années pour rentrer chez lui. ➪ p. 108

Banque Nationale Olympienne
CHÈQUE-VOYAGE
300 **EUROLYMPES**
Payable à ______ **BNO**

☺ 3´

1. Quel est le nom du héros ? ➪ p. 107 — **40 EUROLYMPES**

2. Comment s'appelle sa femme ? ➪ p. 107 — **20 EUROLYMPES**
son fils ? ➪ p. 108 — **20 EUROLYMPES**

3. Comment s'appelle le long poème qui raconte les aventures de son retour ? ➪ p. 112 — **20 EUROLYMPES**

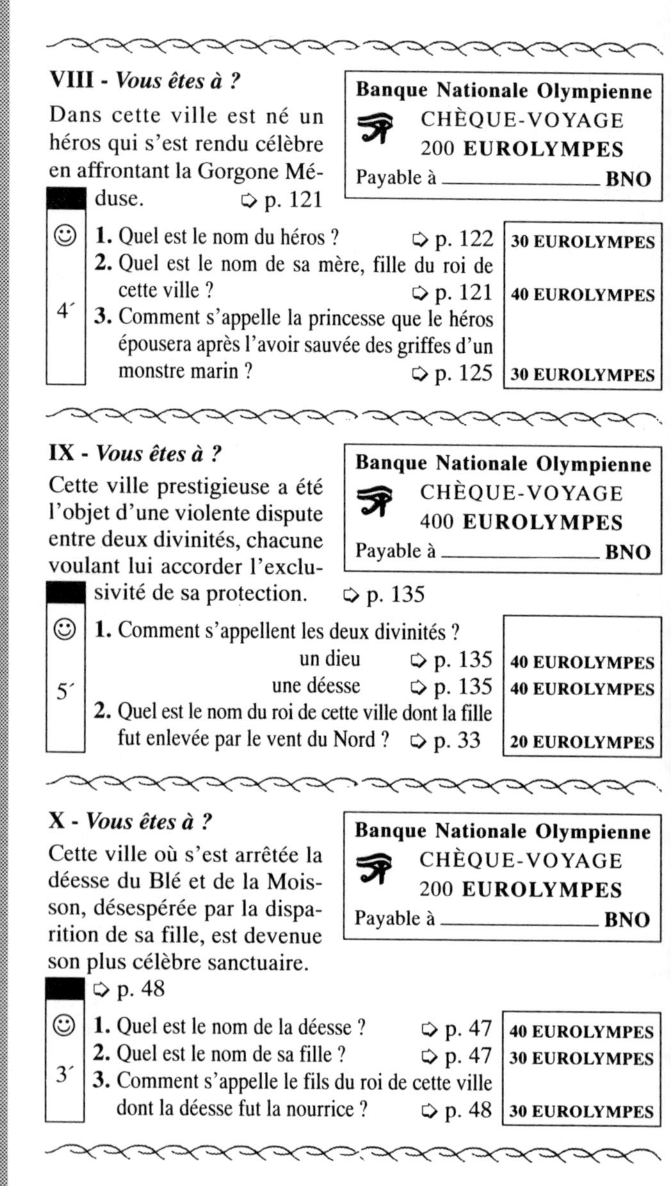

VIII - *Vous êtes à ?*

Banque Nationale Olympienne
CHÈQUE-VOYAGE 200 **EUROLYMPES**
Payable à ______________ **BNO**

Dans cette ville est né un héros qui s'est rendu célèbre en affrontant la Gorgone Méduse. ➪ p. 121

☺ 4´

1. Quel est le nom du héros ?	➪ p. 122	**30 EUROLYMPES**
2. Quel est le nom de sa mère, fille du roi de cette ville ?	➪ p. 121	**40 EUROLYMPES**
3. Comment s'appelle la princesse que le héros épousera après l'avoir sauvée des griffes d'un monstre marin ?	➪ p. 125	**30 EUROLYMPES**

IX - *Vous êtes à ?*

Banque Nationale Olympienne
CHÈQUE-VOYAGE 400 **EUROLYMPES**
Payable à ______________ **BNO**

Cette ville prestigieuse a été l'objet d'une violente dispute entre deux divinités, chacune voulant lui accorder l'exclusivité de sa protection. ➪ p. 135

☺ 5´

1. Comment s'appellent les deux divinités ? un dieu	➪ p. 135	**40 EUROLYMPES**
une déesse	➪ p. 135	**40 EUROLYMPES**
2. Quel est le nom du roi de cette ville dont la fille fut enlevée par le vent du Nord ?	➪ p. 33	**20 EUROLYMPES**

X - *Vous êtes à ?*

Banque Nationale Olympienne
CHÈQUE-VOYAGE 200 **EUROLYMPES**
Payable à ______________ **BNO**

Cette ville où s'est arrêtée la déesse du Blé et de la Moisson, désespérée par la disparition de sa fille, est devenue son plus célèbre sanctuaire.

➪ p. 48

☺ 3´

1. Quel est le nom de la déesse ?	➪ p. 47	**40 EUROLYMPES**
2. Quel est le nom de sa fille ?	➪ p. 47	**30 EUROLYMPES**
3. Comment s'appelle le fils du roi de cette ville dont la déesse fut la nourrice ?	➪ p. 48	**30 EUROLYMPES**

XI - *Vous êtes à ?*

Cette ville fondée par Cadmos est devenue la capitale de la Béotie.

➪ p. 24

Banque Nationale Olympienne
CHÈQUE-VOYAGE
200 **EUROLYMPES**
Payable à ________________ **BNO**

☺ 5´

1. Quel est le nom de la reine de cette ville qui a vu périr ses quatorze enfants pour s'être trop vantée ? ➪ p. 24 — **30 EUROLYMPES**
2. Comment s'appelle la princesse de cette ville qui a péri foudroyée alors qu'elle était enceinte de Zeus ? ➪ p. 51 — **30 EUROLYMPES**
3. Quel est le nom du général de cette ville dont Zeus a séduit la femme en prenant son apparence ? ➪ p. 73 — **40 EUROLYMPES**

XII - *Vous êtes à ?*

Dans ce sanctuaire, un dieu fait connaître sa parole sacrée et, tous les huit ans, on célèbre des jeux en souvenir de sa victoire sur un serpent monstrueux.

➪ p. 19

Banque Nationale Olympienne
CHÈQUE-VOYAGE
400 **EUROLYMPES**
Payable à ________________ **BNO**

☺ 3´

1. Quel est le nom du dieu ? ➪ p. 17 — **50 EUROLYMPES**
2. Comment s'appelle le serpent ? ➪ p. 18 — **30 EUROLYMPES**
3. Au pied de quelle montagne est bâti le sanctuaire ? ➪ p. 18 — **20 EUROLYMPES**

Votre circuit est terminé. Êtes-vous digne d'accéder enfin à l'Olympe ?

L'Olympe est une montagne du nord de la Grèce ; son altitude est de 2 917 mètres.

Pour pouvoir la gravir jusqu'au sommet, toujours environné de nuages, et parvenir ainsi dans le royaume des Olympiens, vous devez acheter l'équipement nécessaire à votre ascension. Mais avez-vous assez d'**EUROLYMPES** pour payer les factures ?

➪ un chapeau	800 EURO.
➪ un manteau bien chaud	1 200 EURO.
➪ des bottes fourrées	1 000 EURO.
➪ un bâton	200 EURO.
➪ une besace garnie (olives, fromage de chèvre)	300 EURO.
➪ une gourde de vin chaud	500 EURO.
TOTAL	**4 000 EUROLYMPES**

Vous êtes équipé(e) ? Bon voyage : les dieux vous attendent. Vous ne pouvez pas acheter tout le matériel ? Dommage ! Vous resterez donc au pied de l'Olympe. Mais ne perdez pas espoir : (re)lisez plus attentivement votre dictionnaire ; les dieux ne vous auront peut-être pas oublié(e)…

BONTÉ DIVINE - I

Les dieux et déesses de l'Olympe vous proposent à présent de faire votre fortune à condition de les reconnaître dans une rencontre en trois tours.

➪ **1er tour :** chacun vous salue et vous offre une pièce de monnaie à son effigie avec un indice pour trouver son nom ; inscrivez vos réponses sur une feuille et passez à la pièce suivante. Si vous hésitez, vous avez droit à une deuxième rencontre.

➪ **2e tour :** rendez-vous en page XVII où la divinité à reconnaître vous apportera une information personnelle (à lire selon le numéro correspondant à son entrée dans le jeu). Inscrivez vos réponses. Vous hésitez encore ? Vous avez droit à une troisième et dernière rencontre.

➪ **3e tour :** rendez-vous en page XXI où chaque dieu et déesse vous expliquera ses fonctions divines (toujours à lire selon les numéros attribués). Inscrivez vos réponses. Si vous n'avez toujours pas trouvé, la chouette vous permet de chercher à la page indiquée ➪. Mais vous ne disposez que d'une minute par ligne, après quoi dieux et déesses repartiront avec leurs pièces.

Une fois vérifiées vos réponses en vous reportant aux pages indiquées après les informations du dernier tour, vous pourrez faire le total de vos gains : pour ses deux noms (grec et latin) correctement écrits, chaque divinité vous donne une bourse contenant une certaine quantité de pièces d'or, mais attention ! celle-ci a diminué au fil de vos hésitations. Si vous avez trouvé dès le premier tour (pièce avec effigie + indice), vous gagnez 100 + 100 pièces ; si vous avez dû attendre le deuxième tour pour répondre, vous ne gagnez plus que 50 + 50 pièces ; enfin, si vous n'avez répondu qu'au dernier tour, vous obtiendrez seulement 10 + 10 pièces (bien entendu, le compte-tours reprend pour chaque divinité qui se présente).

Saurez-vous profiter de la manne divine ?

N°	Indice	Réponse	Gain
1	ENCLUME	Je suis _ _ _ (nom grec) Je suis _ _ _ (nom latin)	100 100
2	ARC	Je suis _ _ _ (nom grec) Je suis _ _ _ (nom latin)	100 100

3	CADUCÉE	Je suis _ _ _ (nom grec) Je suis _ _ _ (nom latin)	100 100
4	COUPE DE VIN	Je suis _ _ _ (nom grec) Je suis _ _ _ (nom latin)	100 100
5	TRÉPIED	Je suis _ _ _ (nom grec) Je suis _ _ _ (nom latin)	100 100
6	FEU	Je suis _ _ _ (nom grec) Je suis _ _ _ (nom latin)	100 100
7	TRIDENT	Je suis _ _ _ (nom grec) Je suis _ _ _ (nom latin)	100 100
8	PAON	Je suis _ _ _ (nom grec) Je suis _ _ _ (nom latin)	100 100
9	CONQUE MARINE	Je suis _ _ _ (nom grec) Je suis _ _ _ (nom latin)	100 100
10	FOUDRE	Je suis _ _ _ (nom grec) Je suis _ _ _ (nom latin)	100 100
11	ÉPI DE BLÉ	Je suis _ _ _ (nom grec) Je suis _ _ _ (nom latin)	100 100
12	ÉGIDE	Je suis _ _ _ (nom grec) Je suis _ _ _ (nom latin)	100 100
13	CASQUE MAGIQUE	Je suis _ _ _ (nom grec) Je suis _ _ _ (nom latin)	100 100
14	LANCE	Je suis _ _ _ (nom grec) Je suis _ _ _ (nom latin)	100 100

MOT POUR MOT

De nombreux termes et expressions d'aujourd'hui sont directement tirés de noms propres empruntés à la mythologie grecque. Voici une petite histoire où plusieurs se sont dissimulés : vous pourrez les retrouver grâce aux indications de la chouette qui vous signale à quelle page du dictionnaire apparaît chacun d'eux.

Mais il vous faudra aussi profiter de vos chaussures ailées car vous ne disposez que de cinq minutes pour lire le texte et lui rendre ses mots d'origine. Pour mesurer vos talents de lecteur, une fois le temps écoulé, vous ferez votre bilan en vérifiant l'exactitude de vos propositions (10 points par nom propre correctement orthographié), puis vous pourrez rechercher le sens dérivé et figuré qu'ont pris ces noms dans un dictionnaire de la langue française.

Il était beau comme un (**fils de Myrrha ⇨ p. 9**) et fort comme un (**fils d'Alcmène ⇨ p. 73**), pourtant il n'en tirait aucun (**substantif masculin < fils de Liriopé ⇨ p. 101**). Il avait beau accomplir un vrai travail de (**enfant de Gaia et d'Ouranos (x 12) ⇨ p. 165**), il n'avait pas encore gagné le (**fleuve dans lequel se plonge Midas ⇨ p. 96**). Il était si pauvre que s'arrêter devant une vitrine de restaurant était devenu un vrai supplice de (**roi de Lydie qui a donné son fils à manger aux dieux ⇨ p. 157**). Son seul ami était un (**monstre tué par Apollon ⇨ p. 18**) apprivoisé qui vivait dans son appartement. Un jour il crut rencontrer la (**fille de Mnémosyne (x 9) ⇨ p. 99**) capable de lui apporter l'inspiration. Il lui déclara aussitôt sa flamme en lui jouant un air sur sa flûte de (**dieu des bergers d'Arcadie ⇨ p. 119**). Hélas !

pas d'(**amoureuse malheureuse de Narcisse ➪ p. 102**) ! Mais il déchanta rapidement. Pas besoin de jouer les (**fille de Priam ➪ p. 109**) pour s'apercevoir que cette fière (**femme guerrière qui hait les hommes ➪ p. 80**) n'était qu'une (**la plus célèbre des Érinyes ➪ p. 64**) acariâtre. Elle le traita de (**homme-chèvre ➪ p. 147**) et il en resta tout (**forme verbale < la plus célèbre des Gorgones ➪ p. 61**). Les disputes se multipliaient : elle était si bizarre qu'il finit par se demander si elle n'était pas (**fils d'Aphrodite et d'Hermès ➪ p. 15**). Il décida alors de voyager et consulta son (**géant fils de Japet ➪ p. 31**) de poche pour choisir sa destination. Dans son vieux tacot carrossé en (**fils d'Hélios ➪ p. 66**) il visita d'abord Paris : il traversa le quartier du (**séjour du dieu des Arts ➪ p. 18**) puis remonta les (**lieu des délices éternelles aux Enfers ➪ p. 64**) avec un calme (**adjectif < dieu né de Cronos et de Rhéa ➪ p. 45**). Un doux (**vent de l'Ouest ➪ p. 167**) caressait ses cheveux. Le soir même, il était au bord de l'(**premier des douze enfants de Gaia et d'Ouranos ➪ p. 165**) où il découvrit enfin le bonheur dans les bras d'une ravissante (**nymphe fille de l'Asopos ➪ p. 153**) qui ne resta pas (**adjectif < fils de Zeus et de Maia ➪ p. 85**) à son charme.

Solution : Adonis, Hercule, narcissisme (de Narcisse), Titan, Pactole, Tantale, Python, Muse, Pan, Écho, Cassandre, Amazone, Satyre, médusé (de Méduse), Hermaphrodite, Atlas, Phaéton, Mont Parnasse, Champs Élysées, olympien (d'Olympien), Zéphyr, Océan, Naïade, hermétique (d'Hermès).

BONTÉ DIVINE - II

1	J'ai une jambe plus courte que l'autre.	50
2	Je ne me marierai jamais.	50
3	Je suis voleur et menteur depuis le berceau.	50
4	Je mène le cortège des satyres et des bacchantes.	50
5	J'ai tué le serpent Python.	50
6	Douce et charitable, je suis au cœur de la maison.	50
7	J'aime conduire mon char à la surface des flots.	50
8	Jalouse, je ne supporte pas les infidélités de mon mari.	50
9	J'ai surgi nue de l'écume des vagues.	50
10	J'ai partagé l'univers entre mes deux frères et moi.	50
11	Je suis heureuse de retrouver ma fille au début du printemps.	50
12	Je suis toujours armée.	50
13	Je suis redoutable sans être malveillant.	50
14	Je suis toujours prêt à chercher querelle.	50

TRIPLÉ GAGNANT

Les grands penseurs de l'Antiquité (Pythagore, Platon, Aristote, entre autres) ont considéré l'interprétation des nombres comme le plus haut degré de la connaissance : pour eux, ils représentent les formes géométriques fondamentales du *cosmos* dont ils ordonnent l'organisation physique. Dans les récits mythiques, certains nombres récurrents renvoient ainsi à une symbolique originelle qui impose le concept du multiple — l'autre — dans une reproduction de l'identique — le même — (êtres et objets sont multipliés sur un même modèle de base). Au premier rang de ces nombres aux pouvoirs quasi magiques, le trois et ses multiples (6, 9, 12) : il n'est guère surprenant que ce soit le chiffre par excellence de la monstruosité, dans la mesure où l'impair brise l'équilibre du pair, l'harmonie fondamentale du couple binaire.

La mythologie grecque abonde donc en créatures qui sont réunies par trois ou dont l'apparence corporelle manifeste la présence du triple : vous en avez rencontré plusieurs dans divers articles du dictionnaire et dans les deux généalogies des pages IV-V. Vous allez les retrouver dans la grille ci-dessous où elles se sont cachées dans toutes les directions (à l'horizontale, à la verticale, en diagonale, dans un sens comme dans l'autre). Attention ! elles ont choisi d'apparaître sous leur nom d'origine : en lettres

E	P	I	N	Y*	E	Σ	C	D	F	I	X
G	K	H	T	A	K	E	J	L	A	Q	I
Σ	Y	A	Λ*	H	K	T	Ω	I	R	S	M
Θ	K	P	T	A	P	I	A	Γ	E	M	A*
E	Λ	Π	M	O	I	P	A	I	K	E	I
N	Ω	Y*	P	H	Γ	A	U	E	Ω	Δ	P
Ω	Π	I	V	W	C	X	P	D	P*	O	A
F	E	A	G	J	L	B	E	Q	A	Y	R
S	Σ	I	U	V	E	W	C	I	I	Σ	D
E	Σ	Π	E*	P	I	Δ	E	Σ	P	A	F
G	J	L	O	Σ	E	N	O	Γ	P	O	Γ
Q	R	Σ	T	I	Σ	I	Φ	O	N	H*	I

Solution après l'alphabet, p. XXXIX.

grecques majuscules ; pour les faire sortir de leur cachette (quelques lettres venues de l'alphabet latin les ont aidées à se dissimuler) et les inscrire à la suite de leur définition (un tiret par lettre) après la grille, vous devrez tout d'abord vous initier à l'alphabet grec p. XXXIX. Toujours prête à vous aider, la chouette vous indique les pages qui vous mettront sur la bonne voie.

1. Ces géants nés de la Terre et du Ciel sont dotés de cinquante têtes et de cent bras. Ils viennent au secours des dieux de l'Olympe dans leur lutte contre les Titans.
_ _ _ _ _ _ _ _ _ _ _ _ _ ➪ pp. 59, 117

2. Encore des géants : frères des précédents, ils n'ont qu'un seul œil au milieu du front et sont les forgerons du Maître de l'Olympe.
_ _ _ _ _ _ _ _ _ ➪ pp. 59, 117

3. Elles aussi ne possèdent qu'un seul œil, mais cette fois c'est le même pour les trois ! Ces « vieilles » sorcières n'ont également qu'une seule dent.
_ _ _ _ _ _ ➪ p. 124

4. Ces trois-là sont les sœurs des précédentes ; elles furent d'abord des jeunes filles à la beauté éblouissante, avant d'être transformées en monstres par une déesse jalouse.
_ _ _ _ _ _ _ _ _ ➪ p. 61
elles s'appellent : 1) _ _ _ _ _ _ _ _ (la plus célèbre d'entre elles ; son visage est si terrifiant qu'il pétrifie tous ceux qui la regardent) ➪ pp. 61, 93
2) _ _ _ _ _ _ ➪ p. 61
3) _ _ _ _ _ _ _ _ (son nom n'est pas dans la grille, il vous faudra le reconstituer à l'aide des lettres marquées *) ➪ p. 61

5. Ces monstres femelles sont nées des gouttes de sang tombées du Ciel sur la Terre ; elles personnifient la vengeance divine et frappent les meurtriers de folie.
_ _ _ _ _ _ _ _ ➪ pp. 59, 118 et V
elles s'appellent : 1) _ _ _ _ _ _ _ _ (la plus célèbre d'entre elles ; son nom signifie l'Envieuse) ➪ p. V
2) _ _ _ _ _ _ _ _ (l'Implacable) ➪ p. V
3) _ _ _ _ _ _ _ _ (la Vengeance du Crime) ➪ p. V

6. Ces trois sœurs sont les « gracieuses » filles de Zeus : elles répandent la joie dans la Nature comme dans le cœur des hommes et des dieux ; elles influencent les travaux de l'esprit et les œuvres d'art.

_ _ _ _ _ _ _ ➪ p. 170

7. Elles aussi filles de Zeus, ces trois jeunes filles ont pour mère la Justice ; elles sont chargées de garder les portes du ciel.

_ _ _ _ ➪ pp. 65, 159

8. Sœurs des précédentes, ces divinités sont inflexibles : elles tissent le destin de chaque mortel sous la forme d'un fil, celui de la vie, que la première file, la deuxième enroule et la troisième coupe.

_ _ _ _ _ _ ➪ p. 159

9. Ces trois « ravisseuses » sont des vautours à buste et tête de femme.

_ _ _ _ _ _ _ ➪ p. IV

10. Ces trois nymphes du Couchant gardent de précieuses pommes d'or dans leur jardin.

_ _ _ _ _ _ _ _ _ _ ➪ pp. 71, 82

11. Géant doté d'un triple corps, il est le petit-fils de Méduse et de Poséidon ; il est le gardien des bœufs qu'Hercule doit voler pour accomplir son dixième travail.

_ _ _ _ _ _ ➪ p. 81

12. Chien à trois têtes, il garde l'entrée du royaume des Enfers.

_ _ _ _ _ _ _ _ _ ➪ pp. 37, 83

13. Son nom signifie la « chèvre » ; sur un corps de dragon, elle possède trois têtes qui crachent des flammes : une de lion, une de chèvre et une de serpent.

_ _ _ _ _ _ _ ➪ p. IV

14. Cette divinité aide Déméter à chercher sa fille ; elle possède trois têtes, ce qui lui vaut le surnom de « triple ».

_ _ _ _ _ ➪ p. 129

BONTÉ DIVINE - III

			➪
1	Je forge les armes des dieux et des héros.	10	p. 69
2	Je passe ma vie à chasser dans les bois.	10	p. 23
3	Je suis le messager des dieux.	10	p. 85
4	Je suis le dieu de la Vigne et du Théâtre.	10	p. 51
5	Je suis le dieu des Arts, de la Lumière et de la Vérité.	10	p. 17
6	Je protège les foyers des hommes.	10	p. 89
7	Je suis le maître du royaume de la Mer.	10	p. 133
8	Je protège toutes les épouses de Grèce.	10	p. 71
9	Je suis la déesse de la Beauté et de l'Amour.	10	p. 13
10	Je suis le maître du monde et des dieux.	10	p. 169
11	Je suis la déesse de la Terre et de la Moisson.	10	p. 47
12	Je suis la déesse de l'Intelligence et la protectrice d'Athènes.	10	p. 29
13	Je suis le maître du royaume infernal.	10	p. 63
14	Je suis le dieu de la Guerre.	10	p. 21

AUX FRONTIÈRES DU RÉEL

LES DOSSIERS Ξ DU **BIM**

Voici Δωροθέα / Dorothée — ses parents l'ont appelée ainsi parce qu'elle est un don (δῶρον) des dieux (θεῶν) — et Φίλιππος / Philippe — comme le dit son prénom, il est l'ami (φίλος) des chevaux (ἵππων) —, deux agents (très) spéciaux du fameux **BIM**, le **Bureau des Investigations Mythologiques**, placé sous la haute autorité de l'Olympe.

Leur spécialité ? Les enquêtes sur tous les phénomènes παρά / *para* (à côté) normaux que leurs collègues ont pris l'habitude de classer Ξ sous prétexte qu'ils n'ont pas de solution.

Ils vous présentent leur carte pour vous demander de les aider dans une recherche qui s'annonce particulièrement délicate. Pas de manières entre vous : appelez-les **Phil** et **Théa**.

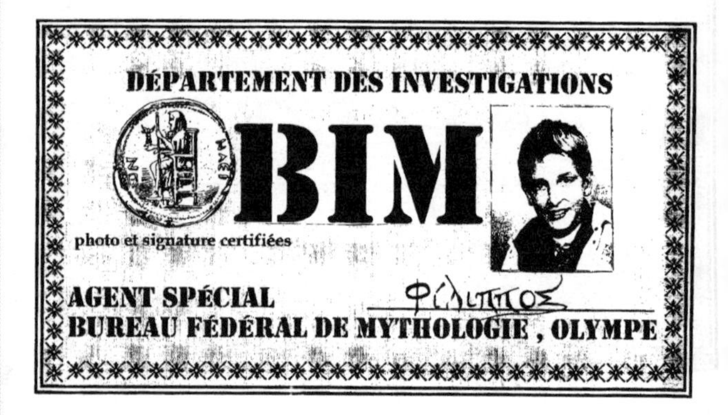

Êtes-vous prêt(e) à partir avec eux « aux frontières du réel » ? Si vous acceptez, vous vous engagez à remplir toutes les missions qu'ils vous confient.

La première sera de mettre un peu d'ordre dans les ΦΑΞ — pardon FAX ! — qu'ils viennent de recevoir de provenances diverses entre 10 heures et 11 heures 30. Catastrophe ! Au moment de les classer, vous découvrez qu'ils ont été soigneusement découpés en deux, probablement par un espion qui cherche à brouiller les pistes. Vous devrez donc recoller les morceaux, en associant un chiffre (de I à XVII) et une lettre (de A à Q).

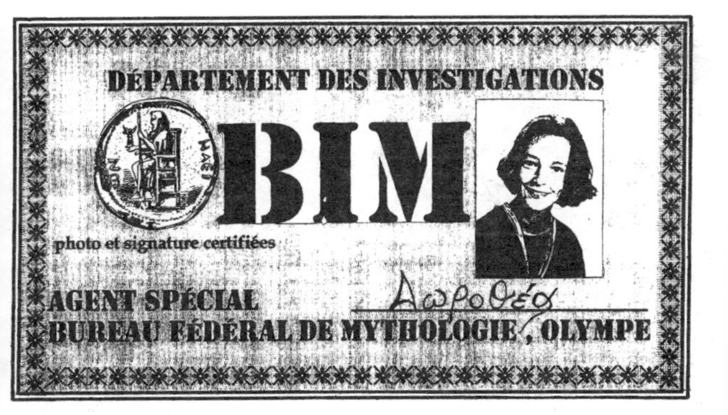

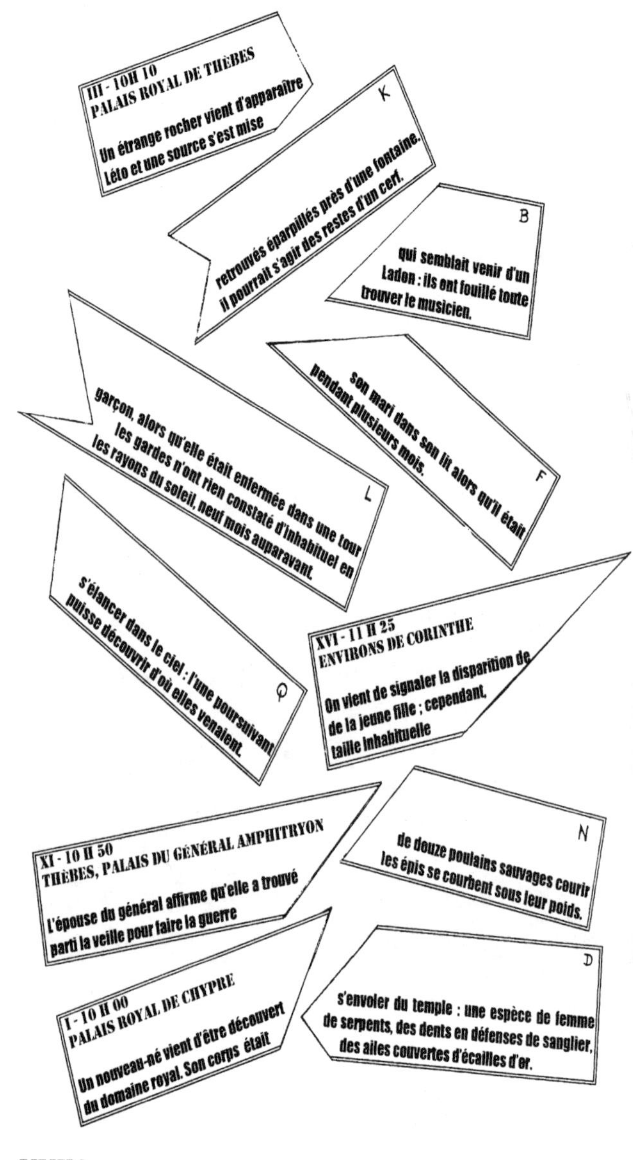
III - 10H 10
PALAIS ROYAL DE THÈBES
Un étrange rocher vient d'apparaître
Léto et une source s'est mise
K
retrouvés éparpillés près d'une fontaine.
Il pourrait s'agir des restes d'un cerf.
B
qui semblait venir d'un
Ladon : ils ont fouillé toute
trouver le musicien.
L
garçon, alors qu'elle était enfermée dans une tour
les gardes n'ont rien constaté d'inhabituel en
les rayons du soleil, neuf mois auparavant.
F
son mari dans son lit alors qu'il était
pendant plusieurs mois.
Q
s'élancer dans le ciel : l'une poursuivant
puisse découvrir d'où elles venaient.
XVI - 11 H 25
ENVIRONS DE CORINTHE
On vient de signaler la disparition de
de la jeune fille ; cependant,
taille inhabituelle
XI - 10 H 50
THÈBES, PALAIS DU GÉNÉRAL AMPHITRYON
L'épouse du général affirme qu'elle a trouvé
parti la veille pour faire la guerre
N
de douze poulains sauvages courir
les épis se courbent sous leur poids.
I - 10 H 00
PALAIS ROYAL DE CHYPRE
Un nouveau-né vient d'être découvert
du domaine royal. Son corps était
D
s'envoler du temple : une espèce de femme
de serpents, des dents en défenses de sanglier,
des ailes couvertes d'écailles d'or.

VIII - 10 H 35
DOMAINE DE L'AURORE
Une sorte de carapace desséchée
au pied d'un arbre où
O
étonnante beauté a été retrouvé
Il portait deux profondes blessures à
faites par les défenses d'un sanglier.
P
brusquement au bord du fleuve Oubli :
il a pu pousser là.
V - 10 H 20
DOMAINE DES TITANS
On a vu apparaître puis
espèce inconnue. On redoute
IV - 10 H 15
QUELQUE PART DANS LES BOIS
Des os et des lambeaux de chair ont été
Ils ont été analysés par le laboratoire :
H
rentrer au port raconte qu'il a vu une bande de
fantôme qui naviguait au son de flûtes
des mâts comme des pieds de vigne.
X - 10 H 45
ROYAUME DES ENFERS
Un peuplier blanc est apparu
personne ne peut dire comment
XV - 11 H 20
PALAIS ROYAL D'ARGOS
La fille du roi vient d'accoucher d'un
depuis un an. Son père est furieux, mais
dehors d'une pluie dorée par
C
disparaître aussitôt une mouche d'une
qu'elle transmette un dangereux virus.
XVII - 11 H 30
ROYAUME DE L'OLYMPE
L'invité d'un mariage bien arrosé, qui
raconter qu'il avait vu le marié couvert
bras une grosse
M
brusquement devant le temple de
à couler de la pierre même.
XIII - 11 H 00
ÎLE D'AEA
Un troupeau de pourceaux a surgi
saccager les champs :

VII - 10 H 30
ÎLE DE NAXOS
Le capitaine d'un bateau qui vient de
dauphins plonger autour d'un vaisseau
invisibles avec des rames comme des serpents et
G
au pied d'un balsamier dans la forêt
complètement enduit de résine.
II - 10 H 05
QUELQUE PART DANS LES BOIS
Le corps d'un jeune chasseur d'une
dissimulé dans les anémones.
l'abdomen, probablement
XII - 10 H 55
DOMAINE DES TITANS
On vient de voir deux grosses cailles
l'autre, elles ont disparu sans qu'on
I
la fille d'Asopos : aucune trace
des témoins ont vu un aigle d'une
s'envoler vers les montagnes.
J
pendant la nuit et il s'est mis à
on ignore quel est leur propriétaire.
E
s'était endormi après la cérémonie, est venu
de brûlures et de griffures serrer dans ses
seiche crachant de l'encre.
XIV - 11 H 15
PROVINCE D'ARCADIE
Des bergers ont entendu une douce mélodie
bouquet de roseaux au bord du fleuve
la rive, mais ils n'ont pas pu
VI - 10 H 25
TERRITOIRE DU NORD
Des paysans ont vu un troupeau
sur un champ de blé sans que
A
en forme de momie a été retrouvée
grimpait lentement une grosse cigale.
IX - 10 H 40
TEMPLE D'ATHÉNA
Des témoins ont dit avoir vu un monstre
hideuse avec des cheveux grouillant
des doigts comme des griffes de bronze et

Vous avez réussi votre mission ? Il vous reste à expliquer l'inexplicable : quel phénomène peut bien être à l'origine de tous ces événements ? Tandis que vous cherchez une réponse, Phil et Théa vous proposent de lire une note documentaire qu'ils ont rédigée à votre intention.

MÉTAMORPHOSES

D'une forme à l'autre

La métamorphose (mot d'origine grecque) ou la transformation (d'origine latine) désigne ce passage (μετά, méta/*trans*) d'une forme physique (μορφή, morphè/*forma*) à une autre. C'est un phénomène que l'on peut observer dans la nature : le têtard se transforme en grenouille, la larve en papillon. Mais son étrangeté a toujours attiré la curiosité des hommes : à la façon d'un tour de magie, la métamorphose crée l'illusion de pouvoir mélanger les espèces entre elles (insectes, animaux, hommes) et d'effacer la division des trois grands règnes naturels (minéral, végétal, animal). Une faculté extra-ordinaire, au sens étymologique, qui permet d'échapper aux règles immuables de la vie pour réaliser grâce à la liberté de l'imagination un acte impossible ou interdit : quel humain n'a rêvé de voler un jour en prenant la forme d'un oiseau ?

Un pouvoir divin

Impossible dans la réalité, la métamorphose d'un être humain est toujours le signe d'un pouvoir magique, hors du commun : acte de sorcellerie, manifestation d'une puissance surnaturelle. Dans les mythes gréco-romains, elle reste le privilège exclusif des créatures divines.

En effet les dieux seuls peuvent choisir de changer de forme ; ils ont la faculté d'intervenir dans la vie des hommes sous n'importe quelle apparence : ainsi Athéna surgit aussi bien en vieillard qu'en roi pour guider Télémaque le fils d'Ulysse dans l'*Odyssée* ; ainsi la divinité marine Nérée, qu'on appelle le « vieillard de la mer », est capable de devenir tour à tour lion, serpent, panthère, sanglier, eau et arbre pour échapper aux visiteurs indiscrets !

Mais le champion incontesté de la métamorphose demeure le roi des dieux « en personne », Zeus ; au gré de ses conquêtes amoureuses, il varie « à plaisir » sa divine morphologie : taureau pour séduire Europe, cygne pour Léda, pluie d'or pour Danaé, il va même jusqu'à revêtir l'apparence du général Amphitryon pour conquérir le cœur de sa fidèle épouse Alcmène ! Bien sûr, l'opération terminée, il reprend sa forme divine.

En revanche, pour la chétive créature humaine, pas question de choix ni de réversibilité : la métamorphose est subie, parfois comme une récompense, le plus souvent comme un châtiment imposé par une divinité jalouse. C'est Athéna qui punit Arachné, coupable de l'avoir défiée dans l'art de la tapisserie, en la transformant en araignée (de la classe des « arachnides » !) pour continuer à filer sa toile ; c'est Artémis, la farouche déesse de la chasse, qui métamorphose Actéon en cerf parce qu'il l'a surprise en train de se baigner dans une source : l'imprudent chasseur sera dévoré par ses propres chiens. Et tant d'autres définitivement changés en rochers, arbres ou animaux au gré de la fantaisie ou de la colère d'une puissance divine, comme le font d'habiles magiciens, de gentilles fées ou de méchantes sorcières...

Vous avez trouvé ? Oui, c'est bien un processus de métamorphose qui conduit « aux frontières du réel » dans toutes ces histoires paranormales.

La preuve ? Pendant que vous étiez absorbé(e) par votre lecture, Phil et Théa ont enregistré une série de coups de téléphone anonymes où un mystérieux correspondant se vante d'être le responsable de chaque affaire.

Il ne vous reste plus qu'à conclure en associant chaque déclaration à l'histoire dont elle est la clef. Mais avant de rendre les dossiers classés à Phil et Théa, retrouvez les auteurs des coups de téléphone Ⓜ (masculin) ou Ⓕ (féminin), en (re)lisant les pages sélectionnées par la chouette ➩.

1 C'est moi qui ai transformé les stupides compagnons d'Ulysse en vulgaires pourceaux. Quel dommage que je n'aie pas réussi cette amusante expérience avec leur chef !

(F) ⇨ p. 111

2 C'est moi qui ai demandé à mes enfants Apollon et Artémis de punir l'insolente Niobé : ils ont tué ses quatorze fils et filles sous ses yeux et j'ai fait transformer la mère en pierre. Ses larmes en ont fait une fontaine !

(F) ⇨ p. 24

3 C'est moi qui me suis transformé en sanglier pour punir Adonis : je ne supportais pas qu'Aphrodite me délaisse pour ce trop beau mortel.

(M) ⇨ p. 11

4 C'est moi qui ai transformé Méduse en un monstre repoussant pour la punir d'avoir souillé mon temple.

(F) ⇨ p. 61 et p. 93

5 C'est moi qui ai provoqué la métamorphose de la pauvre Syrinx : elle a préféré supplier ses compagnes de la transformer en bouquet de roseaux « musical » plutôt que de céder à mon amour.

(M) ⇨ p. 120

6 C'est moi qui me suis changée en feu, en lion, en serpent, en eau et même en seiche crachant de l'encre pour échapper à l'étreinte de celui que l'on m'a forcée à épouser : peine perdue ! Pélée ne me lâchera pas !

(F) ⇨ p. 162

7 C'est moi qui ai pris l'apparence du mari de la belle Alcmène pour endormir les soupçons de cette épouse trop fidèle à mon goût !

(M) ⇨ p. 73

8 C'est moi qui ai métamorphosé Actéon en cerf pour le punir de m'avoir surprise au moment où j'allais me baigner. Sa meute l'a dévoré : bien fait pour lui !
(F) ⇨ p. 24

9 C'est moi qui ai jeté un sort sur le bateau de ces stupides marins pirates qui croyaient pouvoir me vendre comme esclave ; pour les punir, je les ai métamorphosés en dauphins.
(M) ⇨ p. 54

10 C'est moi qui ai puni l'orgueilleuse Myrrha. Pour lui permettre d'échapper à la colère de son père, les dieux l'ont transformée en balsamier, ce qui ne l'a pas empêchée de donner naissance à un fils.
(F) ⇨ p. 9

11 C'est moi qui me suis transformé en cheval pour donner naissance à un étrange troupeau volant.
(M) ⇨ p. 33

12 C'est moi qui ai métamorphosé mon cher Tithonos en cigale quand j'ai vu qu'il n'était plus qu'une vieille momie desséchée.
(F) ⇨ p. 56

13 Ah ! l'amour, toujours l'amour ! Mais oui, c'est bien moi qui me suis transformé en pluie dorée pour visiter la belle Danaé dans sa tour. Vous ne trouvez pas que nous avons un beau garçon ?
(M) ⇨ p. 122

14 Ne raccrochez pas ! C'est encore moi qui me suis métamorphosé pour mon « bon plaisir » : cette fois je me suis fait aigle pour enlever la tendre Égine.
(M) ⇨ p. 153

15 C'est moi qui me suis transformée en mouche pour échapper aux avances de Zeus qui devenait un peu trop entreprenant, mais j'ai bien peur qu'il m'avale !

(F) ➪ p. 29

16 Coucou ! Vous me reconnaissez, bien sûr ! Et encore en oiseau ! C'est moi qui me suis métamorphosé en caille pour séduire Léto, à qui j'ai donné aussi la forme de cet aimable volatile.

(M) ➪ p. 91

17 C'est moi qui me suis transformée en peuplier aussi blanc que mon nom pour échapper aux avances du redoutable maître du royaume infernal.

(F) ➪ p. 64

Solutions

I.	G	10	Aphrodite	**IX.**	D	4	Athéna
II.	O	3	Arès	**X.**	P	17	Leucé
III.	M	2	Léto	**XI.**	F	7	Zeus
IV.	K	8	Artémis	**XII.**	Q	16	Zeus
V.	C	15	Métis	**XIII.**	J	1	Circé
VI.	N	11	Borée	**XIV.**	B	5	Pan
VII.	H	9	Dionysos	**XV.**	L	13	Zeus
VIII.	A	12	Éos	**XVI.**	I	14	Zeus
				XVII.	E	6	Thétis

COURSE D'ENFER

Le maître des Enfers vous a lancé un défi : traverser son royaume en moins de vingt minutes. Vous devrez donc surmonter le plus rapidement possible tous les obstacles qui vont se dresser sur votre chemin.

Pour vous aider, trois héros qui ont eux-mêmes vécu cette expérience infernale et qui en sont sortis victorieux vous offrent chacun un joker : il vous permettra de continuer votre route si vous ne parvenez pas à répondre à une question. Mais attention ! chaque joker ne peut servir qu'une seule fois et il vous faut auparavant nommer correctement le héros qui vous l'apporte pour pouvoir en bénéficier.

Il a obtenu du dieu des Enfers la permission de ramener sa femme sur terre.

Il vous offre l'instrument dont il joue à la perfection ; avec lui, vous charmerez aussi les créatures infernales.

Il est parvenu jusqu'au bord des Enfers pendant son *odyssée*.

Il vous offre l'étonnant animal qu'il a conçu pour prendre Troie ; avec lui, vous bondirez par-dessus les obstacles.

Il a obtenu du dieu des Enfers la permission d'emmener son chien de garde.

Il vous offre la massue et la peau de bête dont il s'est fait un manteau ; avec eux, vous serez invincible.

Vous disposez de ☐ joker(s).

Solution, pp. 113, 107, 73.

Après chaque épreuve, vous arrêterez le chronomètre et vous vérifierez vos réponses. Si vous vous êtes trompé(e), chaque erreur vous donnera une pénalité de 2 minutes. Vous avez la possibilité d'utiliser un joker pour regagner le temps perdu, mais pour une erreur seulement. Après vérification, pensez à relancer le chronomètre.

Vous êtes prêt(e) à partir ?

Épreuve n° 1

Pour entreprendre votre course au plus vite, vous devez saluer votre passeur, le nocher inflexible qui fait traverser le fleuve des Enfers aux âmes des défunts. Il ne vous prendra à bord de sa barque que lorsque vous l'aurez appelé avec le plus grand respect. Mais, au fait, comment se nomme-t-il ?

Solution, p. 39.

Vous l'avez appelé ? Dépêchez-vous de monter dans sa barque et de lui donner votre obole pour payer votre passage.

Il ne l'acceptera qu'après vous avoir entendu rendre hommage à l'épouse de son maître, la divine :

- ❑ TISIPHONE
- ❑ PERSÉPHONE
- ❑ ÉLECTROPHONE

Solution, p. 129.

Épreuve n° 2

Vous avez embarqué ? Le nocher est prêt à vous faire traverser les cinq fleuves infernaux qu'il vous nomme en grec (voir alphabet, p. XXXIX) : vous ne pourrez les franchir l'un après l'autre qu'après avoir rattaché la signification de leur nom au mot français correspondant.

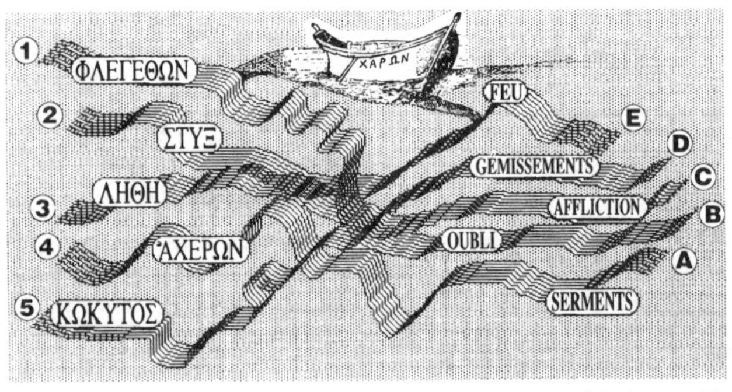

Solution, p. 63.

Épreuve n° 3

Vous voici maintenant dans le royaume des Ténèbres. Pour trouver votre chemin, vous suivrez trois étapes après avoir complété la consigne de chacune d'elles avec le mot-clef nécessaire à leur réalisation. Attention ! Les mots-clefs ont été mélangés et enfermés avec deux intrus dans un temple mystérieux.

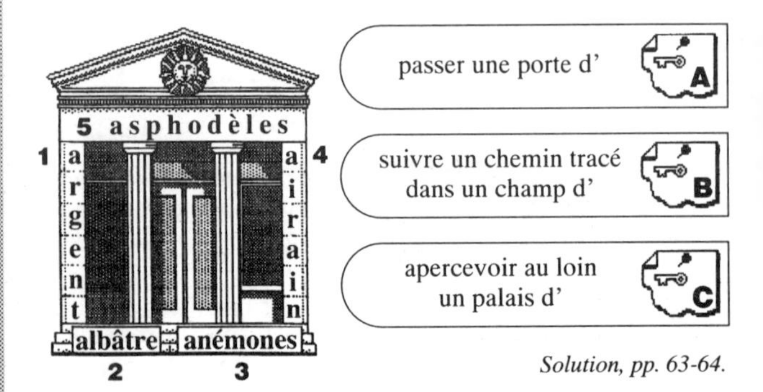

Solution, pp. 63-64.

Épreuve n° 4

Vous êtes arrivé(e) à un carrefour incontournable : le maître des lieux vous y attend. Il vous montre les deux voies qui s'ouvrent devant vous et vous demande d'écrire le mot qui les caractérise en vous proposant de trouver les quatre lettres nécessaires à la réponse (entre É et ES que les deux mots ont en commun) à l'aide des cartons qu'il vous tend.

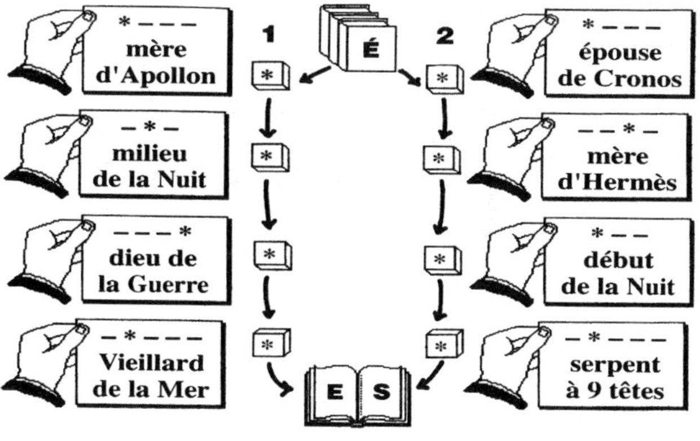

Solution, p. 64.

Épreuve n° 5

Mais voici que la déesse de la Nuit vous enveloppe dans ses ailes noires. Elle ne vous laissera repartir que si vous rendez hommage à ses deux fils Sommeil et Mort : appelez-les vite de leur nom grec (à recopier tels qu'ils ont été transcrits directement en français).

Solution, p. 105.

Ce sont eux qui emportent les âmes pour le sommeil éternel. Ils vous demandent de donner les mots français (10 lettres), tirés de leur nom grec, qui signifient respectivement :

1 - *procédé destiné à provoquer un sommeil artificiel*
2 - *procédé destiné à provoquer une mort douce et sans souffrance*

Dépêchez-vous ! Ils ouvrent déjà leurs ailes pour s'envoler vers vous.

Solution, p. 105.

Épreuve n° 6

Complètement essoufflé(e), vous parvenez au fin fond des Enfers. Comment s'appelle donc ce lieu terrifiant où le maître de l'Olympe a enfermé tous ceux qui ont osé se dresser contre son autorité, comme les Titans ?

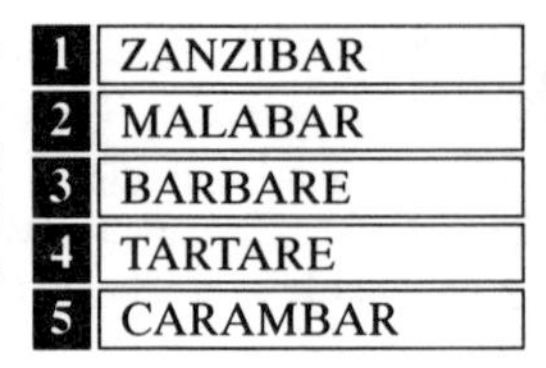

1	ZANZIBAR
2	MALABAR
3	BARBARE
4	TARTARE
5	CARAMBAR

Solution, p. 165.

On y trouve aussi les condamnés à des supplices éternels. Deux d'entre eux vous appellent : le premier a découpé son fils en morceaux, le second a révélé à Asopos le nom du ravisseur de sa fille. Ils se nomment :

TA LE PHE SI SY TAN

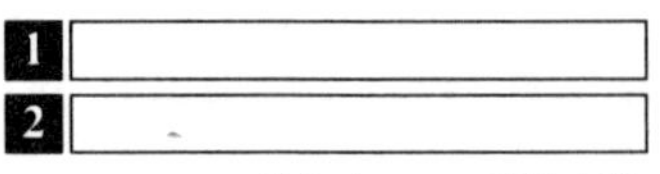

Solution, pp. 157, 153.

Attention ! Ils ont réussi à s'enfuir. Si vous ne leur rendez pas rapidement leur supplice, le roi des dieux qui les a châtiés veillera personnellement à ce que vous preniez leur place !

Le premier est condamné à		Le second est condamné à	

1	remplir un tonneau percé
2	avoir le foie dévoré par un vautour
3	pousser un rocher qui retombe sans cesse
4	être enchaîné à une roue qui tourne sans fin
5	vivre près d'une source limpide ombragée de beaux arbres fruitiers sans pouvoir ni boire ni manger

Solution, pp. 158, 154.

Épreuve n° 7

OUF ! Vous arrivez enfin au bout de votre course infernale. Mais au moment de franchir la porte qui va vous permettre de revenir dans le monde des vivants, le maître des lieux regarde sa montre : retrouvez vite le nom qu'elle portait inscrit en grec sur son cadran et donnez sa traduction avant qu'il ne calcule le temps que vous avez mis pour passer toutes les épreuves.

1.

2.

3.

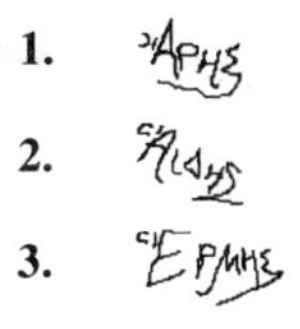

A HERMÈS

B ARÈS

C HADÈS

Solution, p. XXXIX et p. 63.

Vous avez mis moins de 20 minutes ? Bravo ! Vous êtes de la trempe des héros qui ont visité les Enfers et ont pu en ressortir sans dommage.

Vous avez mis plus de 20 minutes ? Hélas ! Vous resterez à jamais enchaîné aux Enfers à moins que… vous ne vous plongiez plus attentivement dans la lecture de votre dictionnaire !

PLAN DE TRAVAIL

Vous connaissez sans doute le « Superman » de l'Antiquité : Héraclès/Hercule. Pour rédiger le programme de ses fameux douze travaux, il vous confie deux listes : grâce à elles, vous devrez nommer les tâches qui lui sont imposées en associant un objet ou un être (I à XV) avec un nom propre de personnage ou de lieu (A à O). Pour vous aider, la chouette vous conseille de lire attentivement les pages 75-84 avant de commencer. Ensuite, vous n'aurez que trois minutes pour procéder aux associations de termes. Attention ! trois intrus se sont glissés dans chaque liste : vous devrez aussi les repérer.

I	POMMES D'OR	A	ÉRYMANTHE
II	BICHE	B	AUGIAS
III	CENTAURE	C	RHODES
IV	LION	D	LERNE
V	TAUREAU	E	HIPPOLYTE
VI	CHIEN	F	MIDAS
VII	JUMENTS	G	CRÈTE
VIII	CEINTURE	H	GÉRYON
IX	CASQUE	I	CERBÈRE
X	OISEAUX	J	HESPÉRIDES
XI	CERF	K	STYMPHALE
XII	SANGLIER	L	SÉLÉNÉ
XIII	ÉCURIES	M	NÉMÉE
XIV	BŒUFS	N	CÉRYNIE
XV	HYDRE	O	DIOMÈDE

L'ALPHABET GREC

Α	alpha	**A**
Β	bêta	**B**
Γ	gamma	**G**
Δ	delta	**D**
Ε	epsilon	**É**
Ζ	zêta	**Z**
Η	êta	**È**
Θ	thêta	**TH**
Ι	iota	**I**
Κ	kappa	**K**
Λ	lambda	**L**
Μ	mu	**M**
Ν	nu	**N**
Ξ	xi	**X**
Ο	omicron	**O**
Π	pi	**P**
Ρ	rhô	**R**
Σ	sigma	**S**
Τ	tau	**T**
Υ	upsilon	**Y**
Φ	phi	**PH**
Χ	khi	**CH**
Ψ	psi	**PS**
Ω	oméga	**O**

POUR TRANSPOSER
UN MOT GREC EN FRANÇAIS

➢ Tout mot qui commence par une voyelle porte un signe appelé « esprit » :
- « rude », il signale que cette voyelle est prononcée avec une aspiration ; il est transposé par notre **H** ;
- « doux », il n'y a pas d'aspiration.

➢ Y prononcé **U** a donné **Y**.

➢ AI a donné **È**.

➢ EI a donné **I**.

➢ EY se prononce **EU**.

➢ OY se prononce **OU** (a donné **U**).

➢ Γ devant **X** se prononce **N**.

➢ À la fin d'un mot :
- A ou -H : marques du féminin singulier.
- AI : marque du féminin pluriel.
- OΣ : marque du masculin singulier.
- OI : marque du masculin pluriel.

Solution du jeu TRIPLÉ GAGNANT (p. XVIII)

1. 'ΕΚΑΤΟΓΧΕΙΡΟΙ HÉCATONCHIRES
2. ΚΥΚΛΩΠΕΣ CYCLOPES
3. ΓΡΑΙΑΙ GRÉES
4. ΓΟΡΓΟΝΕΣ GORGONES
1. ΜΕΔΟΥΣΑ MÉDUSE
2. ΣΘΕΝΩ STHÉNO
3. ΕΥΡΥΑΛΗ EURYALE
5. 'ΕΡΙΝΥΕΣ ÉRINYES
1. ΜΕΓΑΙΡΑ MÉGÈRE
2. 'ΑΛΗΚΤΩ ALECTO
3. ΤΙΣΙΦΟΝΗ TISIPHONE

6. ΧΑΡΙΤΕΣ CHARITES
7. 'ΩΡΑΙ HEURES
8. ΜΟΙΡΑΙ MOIRES
9. 'ΑΡΠΥΙΑΙ HARPYIES
10. 'ΕΣΠΕΡΙΔΕΣ HESPÉRIDES
11. ΓΗΡΥΩΝ GÉRYON
12. ΚΕΡΒΕΡΟΣ CERBÈRE
13. ΧΙΜΑΙΡΑ CHIMÈRE
14. 'ΕΚΑΤΗ HÉCATE

MÉDUSE

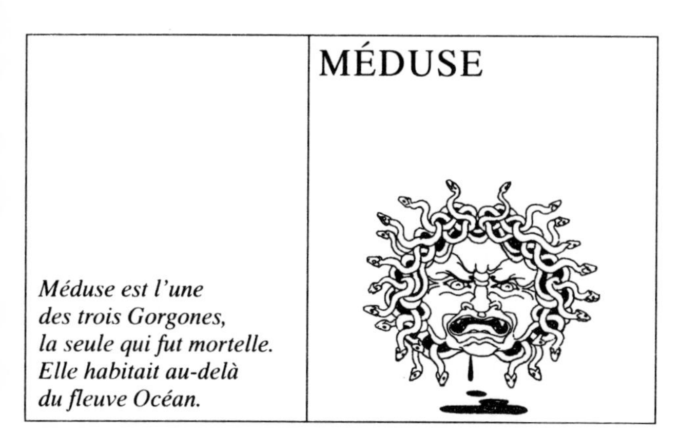

Méduse est l'une des trois Gorgones, la seule qui fut mortelle. Elle habitait au-delà du fleuve Océan.

Poséidon fut l'amant de Méduse lorsqu'elle était une très belle jeune fille. Il s'unit à elle dans un temple consacré à Athéna, la déesse vierge. Celle-ci, pour se venger de cette offense, transforma Méduse en un monstre repoussant et aida Persée à lui trancher la tête. Méduse était enceinte et du sang de sa blessure naquirent Chrysaor et Pégase, le cheval ailé.

Asclépios, dieu de la Médecine, utilisait le sang de Méduse pour soigner ses malades. Le sang qui coulait de l'une de ses veines avait le pouvoir de ressusciter les morts, mais le sang qui coulait de l'autre était mortel.

L'ombre de Méduse s'en alla au royaume d'Hadès, où elle continua de terrifier les morts.

MIDAS

Midas était
un roi de Phrygie
auquel poussèrent
des oreilles d'âne.

Il était une fois un roi de Phrygie qui s'appelait Midas. Son royaume était couvert de roses et son palais entouré de roseraies. Midas n'était pas méchant, mais il n'était pas très intelligent. Un jour, Dionysos et son cortège habituel traversèrent la Phrygie. Silène, le vieux précepteur de Dionysos, était, comme à l'ordinaire, ivre. Dans son ébriété, il s'écarta du cortège des bacchantes et des satyres et s'endormit dans la roseraie du roi. C'est là que les serviteurs du roi le découvrirent. Ils le conduisirent aussitôt à leur maître. Celui-ci envoya des messagers prévenir Dionysos et pendant ce temps Midas festoya en compagnie de Silène. Quand Dionysos arriva, il fut si heureux de retrouver son ami et de l'accueil que lui avait réservé Midas qu'il dit au roi : « Demande-moi ce que tu veux et je l'exaucerai. » Midas réfléchit, mais pas assez, et déclara : « Je voudrais que tout ce que je touche se transforme en or. » Dionysos acquiesça. Mais, quand vint l'heure du premier repas, au moment où le roi prenait une coupe de vin pour boire, celui-ci se figea en une flaque d'or. Midas avança la main pour couper une cuisse de poulet et la cuisse se transforma en cuisse d'or. Au bout de quelques jours, affamé, assoiffé, Midas implora Dionysos. Le dieu eut pitié de lui et lui conseilla de se plonger dans le fleuve Pactole. Midas obéit et le charme fut aussitôt rompu. Mais, dans les eaux de ce fleuve, restèrent à tout jamais des paillettes d'or.

Cette aventure aurait dû inciter Midas à plus de sagesse, mais ce pauvre roi, si gentil, n'avait guère de cervelle. Quelques années plus tard, alors qu'il se promenait dans une forêt, il découvrit au beau milieu d'une clairière le satyre Marsyas et le dieu Apollon qui se livraient à un concours de musique. Marsyas jouait de la flûte, Apollon de la lyre. Ils demandèrent à Midas de leur servir d'arbitre et de décider lequel d'entre eux était le meilleur musicien. Midas, au lieu de se souvenir que les dieux se vengeaient toujours des offenses qu'on leur faisait, déclara que Marsyas était le meilleur. Furieux, Apollon répliqua que ce roi méritait des oreilles d'âne. Aussitôt, les oreilles de Midas s'allongèrent, s'allongèrent... devenant aussi longues que celles d'un âne. Honteux,

Midas les cacha sous une tiare. Seul le serviteur qui lui coupait les cheveux connaissait le terrible secret du roi. Il lui avait juré d'ailleurs de ne le révéler à personne. Mais, un jour, ce secret devint trop pesant pour lui. Alors, le serviteur creusa un trou sur la berge d'une rivière et, dans ce trou, murmura : « Midas a des oreilles d'âne. » Ensuite, il referma le trou. Il ignorait seulement que les roseaux voisins l'avaient entendu. Avec le vent, tous ensemble, ils se mirent à bruire : « Midas a des oreilles d'âne. Midas a des oreilles d'âne. » Et, ainsi, la terre entière apprit le sort du pauvre roi.

MUSES (LES)

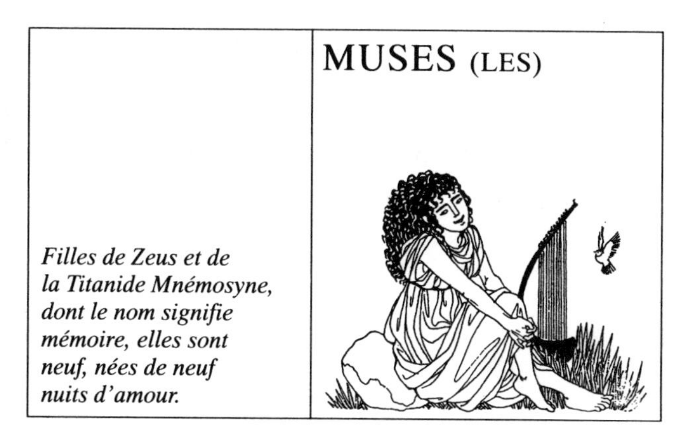

Filles de Zeus et de la Titanide Mnémosyne, dont le nom signifie mémoire, elles sont neuf, nées de neuf nuits d'amour.

Nées des amours de Zeus et de Mnémosyne, les Muses étaient, toutes les neuf, très jolies et gracieuses. Elles ignoraient la tristesse et, le cœur toujours joyeux, dansaient et chantaient, faisant virevolter autour d'elles leurs longs cheveux d'or parsemés de violettes. Évidemment, des jeunes femmes aussi agréables étaient de tous les festins de l'Olympe. Là, Apollon prenait sa lyre pour accompagner leur chœur et leur danse. Mais il ne faut pas croire cependant qu'elles étaient seulement belles, et ne pensaient qu'à s'amuser. Elles consolaient ceux qui se trouvaient dans la peine. Elles inspiraient surtout les savants et les artistes. D'ailleurs, chacune d'entre elles protégeait une discipline.

Calliope était la muse de la Poésie épique et de l'Éloquence ; Clio, celle de l'Histoire ; Euterpe, celle de la Musique ; Terpsichore, celle de la Danse ; Érato, celle du Chant lyrique ; Melpomène, celle de la Tragédie ; Thalie, celle de la Comédie ; Polhymnie, celle de la Pantomime ; et Uranie, celle de l'Astronomie.

NARCISSE

Narcisse est le fils de la nymphe Liriopé et du dieu-fleuve Khéphisos.

Un jour, la nymphe Liriopé se rendit auprès du devin Tirésias et lui demanda si son fils, Narcisse, mourrait jeune ou vieux. Tirésias lui répondit qu'il vivrait très longtemps, mais à une condition : qu'il ne se regarde jamais ni dans un miroir ni dans l'eau d'une fontaine. À partir de cet instant, Liriopé interdit à son fils de se regarder. Narcisse lui obéit. Ainsi, échappant à la mort, il grandissait. Et il devint un magnifique jeune homme, certainement le plus beau que la terre ait jamais porté. Tous, hommes, femmes, nymphes, étaient amoureux de lui. Mais Narcisse avait le cœur aussi dur que sa beauté était grande. Il méprisait l'amour, ne répondait jamais à aucune avance. Pis, il se montrait cruel envers ceux qui l'aimaient. Un jour, il fit envoyer une épée à l'un de ses amis qui s'était épris de lui, pour qu'il puisse l'utiliser pour se tuer.

Mais celle qui souffrit le plus à cause de Narcisse fut certainement la nymphe Écho. Écho ne pouvait pas parler, sauf répéter le dernier mot de chaque phrase prononcée par les autres. Elle devait cette infirmité à une vengeance d'Héra. En effet, Écho avait été autrefois la plus bavarde des nymphes. Un jour, Héra, toujours jalouse et se doutant que Zeus était en train de faire la cour à une nymphe, partit à la recherche de son époux. Pour détourner l'attention de la déesse, tandis que les amoureux se cachaient, Écho se mit à bavarder avec elle. Comprenant enfin la ruse de la nymphe, Héra la condamna à ne plus jamais parler. Or Écho tomba amoureuse de Narcisse. Elle le suivait partout. Mais comment lui avouer ses sentiments ? Et voilà qu'un après-midi Narcisse appelait ses amis dans un bois. Il disait : « L'un de vous est-il ici ? » Écho répéta : « Ici, ici ! » Narcisse marcha dans la direction d'où venait la voix. Soudain, il découvrit la nymphe qui lui tendait les bras. « Jamais ! Jamais je ne voudrai de toi ! » s'écria-t-il. Rouge de honte, Écho s'enfuit et se cacha dans une grotte. Blessée à mort par l'insulte du jeune homme, elle se mit à dépérir tant et tant qu'il ne resta plus d'elle que sa voix. Et, pendant ce temps, la liste des victimes de Narcisse s'allongeait. Toutes se lamentaient, gémissaient et beaucoup d'entre elles, à force de pleurer, en mouraient. Le bruit de leurs larmes parvint jusqu'aux oreilles de Némésis, la déesse de la Juste Colère et de la Vengeance. Alors, par une chaude matinée, elle souffla à Narcisse l'idée d'une longue chevauchée. À midi, épuisé, assoiffé, le jeune homme décida de se désaltérer. Il n'avait pas de gourde sur lui, mais il entendit à proximité le bruit d'une rivière. Némésis l'avait guidé là à dessein. Elle savait que cette source était la plus pure de la région. Son eau était si claire qu'elle égalait le plus parfait des miroirs.

Narcisse s'agenouilla sur la berge, se pencha pour boire et, soudain, il se vit dans toute sa beauté. Il ne parvenait pas à détacher son regard de ce reflet. Quelle splendeur ! Comment ne pas aimer un tel visage ? Il aurait tout donné pour un seul baiser de ce jeune homme ! Mais comment pouvait-il s'embrasser lui-même ? Alors, de désespoir, il se poignarda. Et, tandis que son sang se répandait, une fleur jaillit sur la berge, toute de pourpre et d'argent.

NYX

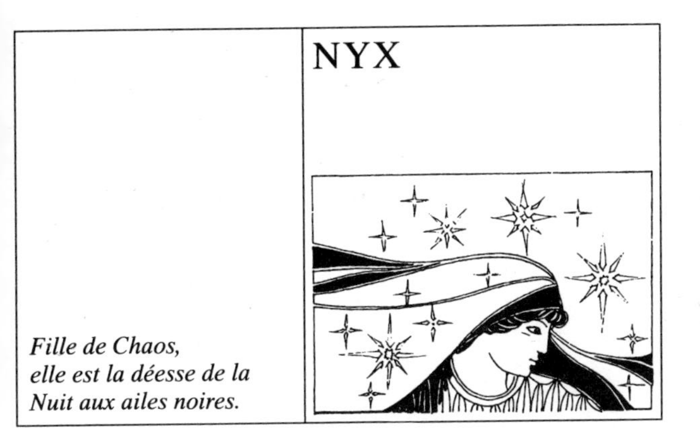

*Fille de Chaos,
elle est la déesse de la
Nuit aux ailes noires.*

Au début de l'univers, seul existait Chaos. Puis, deux filles naquirent de lui, Érèbe, les Ténèbres, et Nyx, la Nuit. Ainsi l'univers n'était que calme, gouffre, silence et nuit éternelle. Mais Nyx engendra à son tour Aether, le Jour. Il y eut donc, désormais, le jour et la nuit — qui tombait chaque fois que Nyx sortait de son palais, enveloppée de son grand voile noir parsemé d'étoiles. Elle montait dans un char d'ébène tiré par des chevaux noirs et parcourait ainsi la vaste et silencieuse étendue céleste. Après Aether, Nyx eut d'autres enfants, Moros, le Sort, Hypnos, le Sommeil, Thanatos, la Mort [1], et les Hespérides, filles du Soir.

1. Les fils de Nuit portent des noms qui représentent des abstractions (on les retrouve dans les mots français hypnotisme et euthanasie).

ODUSSEUS
ULYSSE

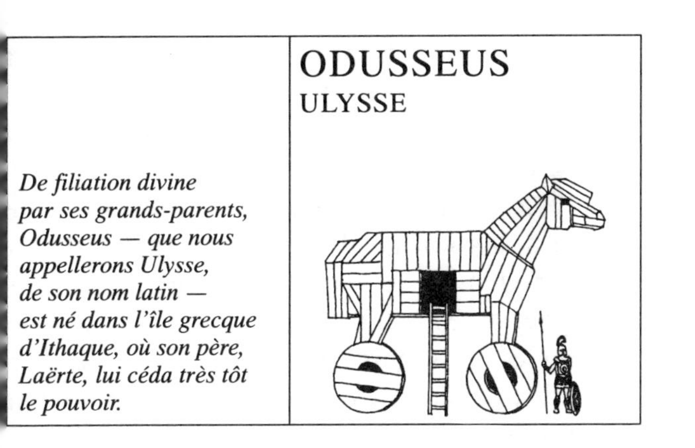

De filiation divine
par ses grands-parents,
Odusseus — que nous
appellerons Ulysse,
de son nom latin —
est né dans l'île grecque
d'Ithaque, où son père,
Laërte, lui céda très tôt
le pouvoir.

Il était une fois un jeune prince grec, Ulysse. Courageux, excellent guerrier, Ulysse était surtout très intelligent. Mais, plus encore qu'intelligent, il était sensé. Ainsi, afin d'obtenir la main de la princesse Pénélope, il se débrouilla pour organiser le mariage de sa cousine, Hélène, avec le roi Ménélas. Or Hélène était sans aucun doute la plus jolie femme du monde. Aussi, quand le moment fut venu de lui choisir un mari, son père, le roi Tyndare, fut-il très ennuyé. Tous les rois de Grèce voulaient épouser Hélène et, malheureusement, un seul le pourrait. Les autres ne risquaient-ils pas d'en vouloir à Tyndare ou au futur mari d'Hélène ? Alors, le roi fit d'abord prêter serment à tous les prétendants de la princesse. Quel que soit l'élu, tous s'engageaient à soutenir le mari d'Hélène ! Le serment fut prêté et on célébra le mariage de la princesse avec le roi Ménélas.

Mais, un jour, un prince troyen, Pâris, enleva Hélène. Aussitôt, Ménélas appela tous les Grecs à son secours. Il fallait laver cet affront, faire la guerre aux Troyens et leur reprendre Hélène.

Ulysse entendit bien l'appel de Ménélas, mais il pensa aussitôt qu'il était stupide de se battre pour une femme au risque d'y perdre la vie. Pour échapper à ce sort, il décida de feindre la folie. Quand les messagers de Ménélas vinrent le chercher, ils trouvèrent Ulysse en train de labourer un champ tout en y semant du sel au lieu de grain. Cependant, l'un des messagers, plus rusé que les autres, se dit qu'Ulysse était bien trop sensé pour être devenu brusquement fou. Afin de s'en assurer, il prit le fils d'Ulysse, le petit Télémaque et le posa devant le soc de la charrue. Aussitôt Ulysse changea de sillon. Confondu, le jeune prince, devenu roi d'Ithaque, prit les armes. Mais il manquait encore un Grec, Achille. Impossible de s'embarquer sans lui ! Et il demeurait introuvable… Ce fut Ulysse, Ulysse qui ne voulait pas faire la guerre, qui le découvrit, déguisé en femme et caché parmi les filles du roi Lycomède. Cette fois, l'armée grecque fit voile vers Troie.

Le siège de Troie dura dix ans. Et quel siège ! Les Grecs ne se battaient pas seulement contre les Troyens, ils se disputaient aussi entre eux. Chaque fois, Ulysse, toujours diplomate, s'employait à les réconcilier. Mais, ce qu'il ne pouvait empêcher, c'était la folie guerrière. Les héros tombaient les uns après les autres. Patrocle, Hector, Achille... Cette guerre ne finirait-elle donc jamais ? Ulysse avait envie de rentrer chez lui. Il eut alors l'idée d'une ruse. Il fit construire un immense cheval en bois à l'intérieur duquel se cacha une partie de l'armée grecque. Pendant ce temps, l'autre partie de l'armée faisait semblant de réembarquer.

Quand l'aube se leva, les guetteurs troyens virent le camp grec déserté. Il ne restait plus une seule tente. Seulement des bateaux qui semblaient s'éloigner, et cet immense cheval en bois. Les Troyens sortirent de la ville et là, près du cheval, ils découvrirent un Grec apeuré qui leur raconta une histoire montée de toutes pièces par Ulysse. Cet homme expliqua aux Troyens que les Grecs n'ignoraient pas combien Athéna les avait protégés durant toute cette guerre. Ils craignaient que la déesse ne se venge maintenant de tous les maux qu'ils avaient infligés à Troie. Aussi, pour se préserver d'elle, ils lui avaient dédié cet immense cheval avec le secret espoir que les Troyens le détruiraient, retournant ainsi la colère d'Athéna contre eux-mêmes. Les Troyens le crurent et, ouvrant toutes grandes les portes de la ville, introduisirent le cheval. Alors, les soldats, cachés à l'intérieur, surgirent et le massacre commença.

Au cours de ce massacre, une princesse troyenne, Cassandre[1], qui était également prêtresse d'Athéna,

1. Cassandre avait reçu d'Apollon le don de prédire l'avenir, mais personne ne la croyait.

se réfugia dans le temple de la déesse. Mais les Grecs la découvrirent et s'emparèrent d'elle.

La ville brûlait. Tous les Troyens étaient morts, et leurs femmes prisonnières des Grecs victorieux. Seulement, Athéna était furieuse. On s'était servi d'elle. On avait profané son temple. Pour l'occasion, elle se réconcilia avec Poséidon auquel elle s'était opposée pendant toute la guerre. Il devait déchaîner tempête sur tempête et perturber ainsi le retour des Grecs. Poséidon accepta.

Nombreux furent les bateaux qui sombrèrent. Quant à Ulysse, il lui fallut dix ans pour retrouver sa patrie, dix années d'errance et d'aventures. Tout d'abord, la tempête le jeta sur les côtes libyennes, au pays des Lotophages qui nourrirent Ulysse et ses compagnons de fruits et de breuvages si délicieux qu'ils faillirent en oublier leur patrie. Quand Ulysse réussit enfin à les arracher à ces plaisirs, une autre tempête les fit échouer sur les côtes de Sicile. Là, croyant trouver l'hospitalité, ils furent emprisonnés dans la grotte d'un Cyclope sauvage, Polyphème. Chaque matin et chaque soir, Polyphème tuait et mangeait deux compagnons d'Ulysse. Pour arrêter le carnage, ce dernier creva son œil unique d'un coup d'épieu. Et, tandis que le Cyclope hurlait de douleur et de rage, le roi d'Ithaque et ses amis couraient vers la plage et hissaient la voile de leur navire. Mais Poséidon continuait de déchaîner les flots. Ils poussaient les vents les uns contre les autres, provoquant des ouragans. Ulysse ne pouvait diriger son vaisseau qui, une fois de plus, échoua sur les côtes d'une île, l'île d'Aea, domaine de la magicienne Circé. Cette dernière transforma les compagnons d'Ulysse en pourceaux. Heureusement, grâce à un philtre magique que lui avait donné Hermès, Ulysse échappa à cette métamorphose. Alors, sous la menace d'une épée, il obligea Circé à désensorceler ses amis. Allaient-ils enfin rentrer chez eux ? Comment y croire quand la mer dressait devant leur bateau de véritables montagnes d'eau ? Cette fois, ce fut le naufrage. Seul Ulysse parvint à nager et à gagner un rivage où il s'effondra, épuisé. C'est là que la nymphe Calypso le découvrit. Elle le recueillit, le soigna. Mais, en s'occupant de lui, elle se mit à l'aimer. Elle ne voulait plus qu'il parte ; elle le retint ainsi pendant des années et des années. Il fallut un ordre des dieux pour qu'elle accepte de lui rendre sa liberté. Alors, elle construisit pour lui un radeau qu'elle chargea de vivres et, après un dernier soupir, le laissa aller. Ulysse connut encore bien des aventures avant de fouler de nouveau le sol d'Ithaque. Pourtant, même revenu dans sa patrie, il lui fallut encore lutter. En effet, pendant son absence, de nombreux prétendants étaient venus faire la cour à Pénélope. Tous lui assuraient qu'Ulysse était mort, qu'elle devait se remarier. Mais Pénélope, fidèle, refusait toujours. Pressée de plus en plus, elle finit par déclarer qu'elle choisirait son nouvel époux lorsqu'elle aurait fini de tisser le linceul de son beau-père. Il était si vieux, n'est-ce pas… Il pouvait disparaître d'un jour à l'autre. Elle lui devait ce dernier hommage. Cependant, tout en parlant ainsi, Pénélope rusait car elle défaisait chaque nuit ce qu'elle avait tissé le jour.

Or, juste au moment où Ulysse arrivait à Ithaque, les prétendants de Pénélope comprirent qu'elle s'était moquée d'eux. Furieux, ils lui ordonnèrent de choisir sans plus attendre. Au désespoir, Pénélope organisa un concours de tir à l'arc. Sa main reviendrait au vainqueur.

Le concours allait commencer quand un mendiant se présenta. Lui aussi voulait y participer. Pénélope accepta. À la surprise générale, le mendiant l'emporta. Alors, il se fit reconnaître. Il n'était autre qu'Ulysse, revenu auprès de sa femme et de son fils.

Bien longtemps après, le plus grand poète grec, Homère, raconta les aventures d'Ulysse dans un récit chanté qui porte son nom : l'*Odyssée*.

ORPHÉE

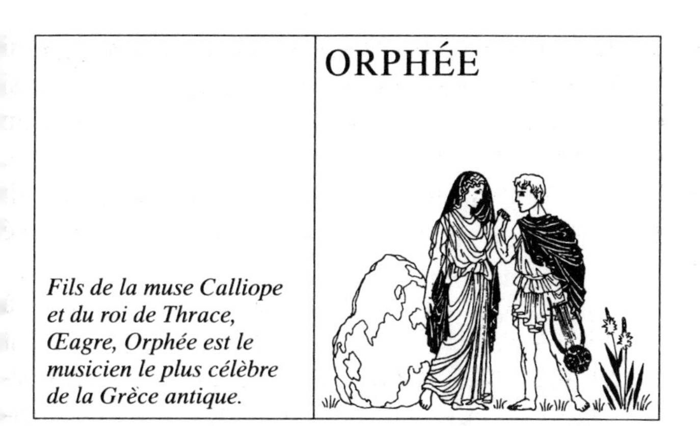

Fils de la muse Calliope et du roi de Thrace, Œagre, Orphée est le musicien le plus célèbre de la Grèce antique.

De tous les peuples de la Grèce, les Thraces étaient les meilleurs musiciens. Mais Orphée, outre qu'il était thrace, avait pour mère la muse Calliope. Peut-être est-ce pour cette raison que nul ne pouvait résister au chant de sa lyre ? Quand il commençait à jouer, les branches des arbres se penchaient vers lui pour mieux l'entendre, les rochers s'écartaient pour ne pas blesser ses pieds et les fleurs sortaient aussitôt de terre pour venir l'écouter.

Un jour, Orphée rencontra une naïade, Eurydice. Ils s'aimèrent aussitôt, au premier regard. Et, aussi vite qu'ils s'étaient aimés, ils décidèrent de s'épouser. Hélas, le jour même de son mariage, alors qu'Eurydice dansait dans une prairie, entourée de ses demoiselles d'honneur, un serpent la mordit. Le venin de l'animal monta au cœur en un instant et celui-ci cessa de battre.

Eurydice morte, Orphée ne savait plus comment vivre. Il avait perdu le goût des choses terrestres. Il ne lui restait plus que sa lyre. Mais les sons qu'il en tirait désormais étaient si douloureux que des sources jaillissaient des montagnes de Thrace comme autant de larmes.

Ne supportant plus la souffrance qui serrait son cœur depuis la mort d'Eurydice, Orphée prit alors une terrible décision. Il allait descendre au royaume des morts et demander à Hadès de lui rendre Eurydice.

Jouant toujours de la lyre, il descendit l'étroit sentier qui menait aux Enfers. Grâce à sa musique, les ombres n'avaient plus peur de ce qui les attendait. Quand il arriva devant Charon, celui-ci, charmé, le laissa mettre pied dans sa barque et, pour la première fois, oublia de rudoyer les morts. Cerbère, lui, se coucha comme un simple chien de garde devant son maître.

Orphée jouait toujours. Il avait maintenant franchi la porte d'airain. Devant lui se tenait le trône sur lequel siégeait Hadès, invisible. Pinçant les cordes de son instrument, le musicien demanda au maître des Enfers de lui rendre Eurydice. Comment le dieu aurait-il pu résister à une telle demande ? Il accepta, mais à une condition : Eurydice marcherait derrière Orphée et lui, Orphée, ne devrait pas se retourner pour la regarder jusqu'à ce qu'ils soient sortis des Enfers, sinon il la perdrait à jamais.

Orphée ne voyait aucune objection à ce marché et il partit. Il se dirigeait vers la lumière et, derrière lui, il entendait le pas léger d'Eurydice. Il mourait d'envie de se retourner, mais chaque fois il se rappelait les mots d'Hadès et se retenait.

L'ombre était de moins en moins épaisse. Encore un pas... Orphée était enfin sorti des Enfers ! Alors, il se retourna sans penser qu'Eurydice avait bien un pas de retard sur lui. Il se trouvait dans le monde de la vie, elle était encore au seuil de la mort et la promesse faite à Hadès n'avait pas été tenue. Il eut juste le temps d'entendre la voix très faible d'Eurydice qui murmurait « Adieu » tandis qu'elle disparaissait à jamais.

OURANOS

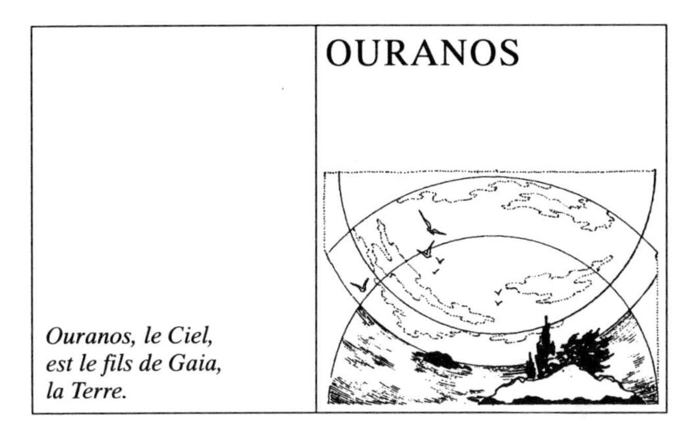

Ouranos, le Ciel, est le fils de Gaia, la Terre.

Après la nuit et les ténèbres, Gaia, la Terre, surgit du Chaos. Comme elle se sentait un peu seule, elle fit naître Ouranos, le Ciel. Gaia et Ouranos se marièrent et ils eurent de nombreux enfants : les Titans, les Titanides, tout à la fois dieux et géants, et qui régnaient sur le monde, mais aussi les Cyclopes, les Hécatonchires, les uns ne possédant qu'un œil, les autres cent bras et cinquante têtes[1].

Mais Ouranos détestait ses enfants. Il craignait que l'un d'eux ne le détrône un jour. À force de trembler, et pour conjurer le sort, il les précipita dans les profondeurs de la terre et les y enferma.

Gaia décida alors de venger ses enfants. Elle remit à son plus jeune fils, Cronos, une faucille en

1. Voir les généalogies, pp. IV-V.

silex pour qu'il frappe son père et libère ses frères. Cronos fit ce que sa mère lui demandait et châtra Ouranos. Dans sa douleur, Ouranos prédit à Cronos qu'il serait à son tour détrôné par l'un de ses fils. Puis, perdant de plus en plus de sang, il s'enfuit. Mais soudain, du sang répandu l'on vit surgir de nouvelles créatures. C'étaient les Érinyes, furies qui vengent les parricides et poursuivent les parjures, et les Méliades, nymphes des frênes.

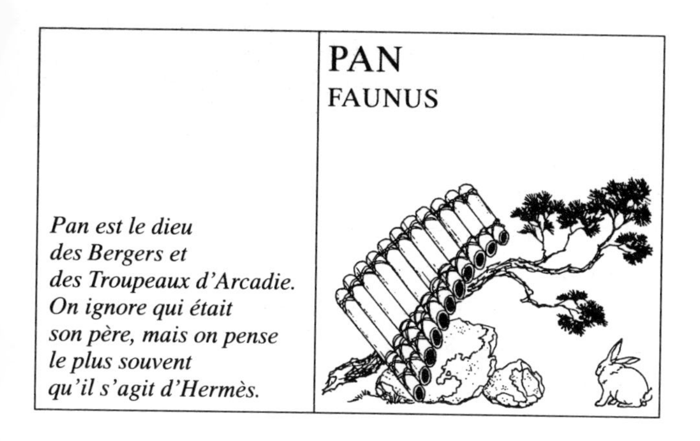

PAN
FAUNUS

Pan est le dieu
des Bergers et
des Troupeaux d'Arcadie.
On ignore qui était
son père, mais on pense
le plus souvent
qu'il s'agit d'Hermès.

Il était une fois un enfant qui naquit en Arcadie. Nul ne savait qui était son père. Mais sa mère, quand elle vit ce à quoi elle avait donné le jour, s'enfuit. Il est vrai que Pan n'était vraiment pas beau. En fait, il était franchement laid et, même, repoussant à faire peur. Pourtant, Hermès le recueillit et l'emmena sur l'Olympe. Là, le petit Pan grandit joyeusement avec son torse d'homme velu, ses petites cornes dressées sur la tête, sa barbiche pointue, sa queue et ses pattes de bouc. Car, si laid qu'il fût, Pan était toujours de bonne humeur. Il aimait courir dans les bois, aider les chasseurs à dénicher le gibier et faire la sieste à l'ombre des pins. Mais, ce que Pan aimait par-dessus tout, c'était faire la cour aux nymphes. Évidemment, ces créatures si belles s'enfuyaient dès qu'il s'approchait d'elles. Cependant, Pan ne se décourageait pas. Agile, guilleret, il se cachait dans les grottes, derrière les arbres, pour mieux les surprendre. Et voilà que, par un doux crépuscule, il fut bien sur le point d'en attraper une. Elle s'appelait Syrinx. Ah, il la tenait presque ! Mais Syrinx se retourna, poussa un cri d'horreur et se mit à courir. Quelle poursuite entre la nymphe rapide et Pan si agile !

À bout de souffle, Syrinx arriva sur les bords du fleuve Ladon. Impossible de le franchir ! Il était trop profond. Pan n'était plus qu'à quelques pas. Syrinx implora les autres nymphes. « Je vous en prie, aidez-moi ! » supplia-t-elle. Aussitôt les nymphes la transformèrent en un bouquet de roseaux. Quand Pan atteignit la berge, de dépit, il cogna le sol du sabot. Mais soudain, alors que le soir tombait, il entendit une douce musique venue des roseaux. Pan, qui était également musicien, eut alors une idée. Il coupa les roseaux et, les attachant l'un à l'autre, inventa une flûte. « Ainsi, dit-il, tu ne m'échapperas pas. » Et il s'en alla dans les bois, soufflant dans l'instrument qu'il appela du nom de la nymphe : syrinx.

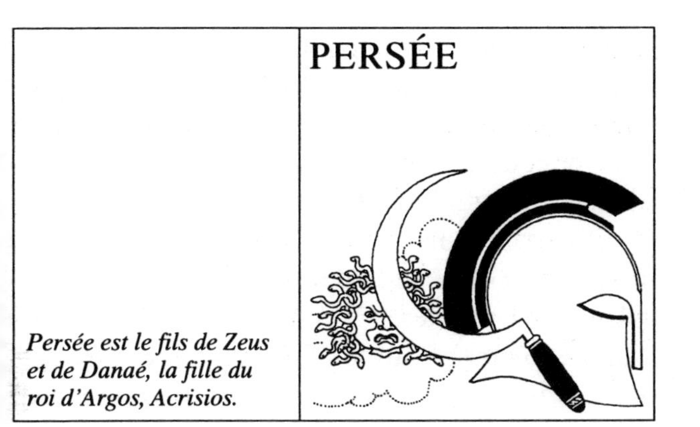

PERSÉE

Persée est le fils de Zeus et de Danaé, la fille du roi d'Argos, Acrisios.

Le roi Acrisios avait une fille, la plus belle entre toutes les femmes de son royaume. Cependant, Acrisios était triste. Si belle que fût sa fille, il aurait mille fois préféré avoir un fils. Alors, il se rendit à Delphes et demanda à la Pythie s'il lui restait un espoir de voir un jour naître ce fils. La Pythie lui répondit que non. En revanche, Danaé aurait un fils et celui-ci tuerait son grand-père. Pour échapper à ce funeste destin, Acrisios décida que sa fille ne se marierait jamais et, afin que personne ne puisse lui faire la cour, il allait, en plus, l'enfermer dans une tour. Ce serait une tour imprenable, une tour d'airain munie seulement d'une petite fente pour laisser passer un peu d'air.

À peine revenu à Argos, il mit à exécution son projet. Danaé et sa nourrice étaient désormais condamnées à vivre prisonnières. Cependant, un matin, par l'unique fente de la tour un rayon de soleil passa qui, aussitôt, se transforma en pluie d'or puis en homme. Cet homme, en fait, était un dieu. Il s'agissait de Zeus.

Quelques mois après la visite de Zeus, Danaé accoucha avec l'aide de sa nourrice. C'était un fils. Elles l'appelèrent Persée. Mais comment dissimuler un nouveau-né ? Entendant des pleurs et des vagissements, Acrisios pénétra dans la tour et découvrit le nourrisson. Un garçon !

Croyant une fois encore qu'il parviendrait à déjouer le sort, il enferma Danaé et Persée dans un coffre et le jeta à la mer. Selon que le temps était calme ou à la tempête, le coffre se cognait aux vagues, dérivait... jusqu'au jour où il s'échoua sur une plage. Ils étaient arrivés dans l'île de Sériphos. Un pêcheur, qui passait par là, ouvrit le coffre et les recueillit. C'était un homme au grand cœur du nom de Dictys et, durant de longues années, Danaé et son fils vécurent dans sa demeure, entourés des soins du pêcheur et de sa femme. Mais, un jour, Polydectès, le roi de Sériphos, aperçut Danaé. Aussitôt, il voulut l'épouser. Cependant, si la mère lui plaisait, le fils le gênait. Il imagina alors un moyen de se débarrasser de Persée.

Pour annoncer ses fiançailles avec Danaé, il organisa un grand festin auquel, bien sûr, il convia Persée. Comme cela se faisait, chaque invité apporta un présent aux fiancés. Seul Persée vint les mains vides car il ne possédait rien. Polydectès le lui fit remarquer. Piqué dans son orgueil, le jeune homme se redressa et lança : « Demande-moi ce que tu voudras et je me fais fort de te l'offrir. » Polydectès n'attendait que cette occasion. « Je voudrais la tête de la Gorgone Méduse », répondit-il. Persée ne pouvait se dédire. Il partit.

D'abord, il devait se rendre à Delphes et demander à la Pythie où vivaient les Gorgones. Celle-ci répliqua que, pour trouver la route qui menait aux Gorgones, il lui fallait emprunter celle qui conduisait au pays des mangeurs de glands. Persée se mit en route mais les Selles, ces mangeurs de glands, ne purent rien lui révéler sinon qu'il était protégé par des dieux très puissants. Déçu, Persée errait sur les chemins quand il rencontra un jeune homme d'une grande beauté. De plus, il portait des sandales ailées et un petit casque plat également ailé. Il ne pouvait s'agir que d'Hermès, l'un de ces dieux annoncés par les Selles et qui protégeaient Persée.

Le messager de Zeus conseilla à Persée de se procurer certaines armes. Elles seules lui permettraient de venir à bout de Méduse. Cependant, ces armes se trouvaient chez les nymphes du Nord. Mais Hermès lui répondit qu'il existait trois vieilles femmes, les Grées, qui, elles, les connaissaient. Persée devait leur arracher leur secret.

Guidé par Hermès, le jeune homme arriva dans une région où régnait un crépuscule perpétuel sans lune ni étoiles. Là, se tenaient trois vieilles femmes toutes grises. Les Grées avaient une particularité qui s'avéra utile pour Persée. Elles ne possédaient qu'un seul œil pour trois, qu'elles se passaient tour à tour. Persée se cacha et attendit le moment où l'une d'entre elles ôtait son œil pour le donner à l'autre. Aucune des trois ne pouvant plus voir, Persée en profita pour s'emparer de l'œil unique. Celui-ci dans sa main, il leur proposa un marché. Il leur rendrait cet œil si elles lui indiquaient où se trouvaient les nymphes du Nord. Les Grées acceptèrent et Persée poursuivit son chemin, toujours accompagné d'Hermès.

Les nymphes du Nord vivaient dans une contrée idéale où, toute la journée, on riait, chantait, festoyait et dansait. Elles fêtèrent le jeune homme et lui remirent les armes qu'il demandait. Il s'agissait de sandales ailées identiques à celles d'Hermès, d'un casque qui rendait invisible, semblable à celui d'Hadès, et d'un sac qui prenait la forme de ce qu'il contenait. Chez les nymphes du Nord, Persée rencontra également Athéna. La déesse se joignit à Hermès pour guider le héros. Tous trois s'envolèrent au-dessus de l'Océan afin de gagner l'île où vivaient les Gorgones.

Chemin faisant, Hermès remit à Persée une épée que rien, pas même les écailles de Méduse, ne pouvait tordre. Athéna lui donna son bouclier.

Le jeune homme devrait se cacher derrière celui-ci quand il attaquerait Méduse. Ainsi, il éviterait son regard qui pétrifiait tous ceux qui le croisaient. Mais, en même temps, grâce à ce bouclier magique, il l'apercevrait comme au travers d'un miroir.

Athéna lui faisait ses dernières recommandations quand ils atteignirent l'île des Gorgones. Il faisait nuit et elles dormaient, horribles à voir avec leur chevelure grouillante de serpents. Hermès lui montra laquelle des trois était Méduse. Le bouclier devant lui, Persée s'éleva dans les airs d'un coup de sandale ailée. Tenant d'une main l'épée d'Hermès, il décapita Méduse. Fixant toujours son bouclier, il ramassa la tête et la jeta dans le sac des nymphes. Mais, à ce moment, les deux autres Gorgones se réveillèrent. Voyant ce qui était arrivé à leur sœur, elles voulurent poursuivre son meurtrier. En vain ! Grâce à son casque, Persée demeurait invisible.

Sur le chemin du retour, le jeune homme s'arrêta en Éthiopie. Les habitants lui racontèrent qu'un monstre marin dévorait, les uns après les autres, les gens du pays. Cependant, un oracle leur avait appris que si la fille du roi, la princesse Andromède, était sacrifiée au monstre, le massacre cesserait. D'ailleurs, la princesse était déjà attachée à un rocher au milieu de la mer. Persée s'y rendit aussitôt. Quand il vit Andromède, il comprit que, non seulement il ne la laisserait pas mourir, mais qu'il l'aimerait toute sa vie. Il la détacha, attendit avec elle la venue du monstre et trancha sa tête comme il l'avait fait pour celle de Méduse.

Andromède sauvée, Persée l'épousa et ensemble ils voguèrent vers l'île de Sériphos. Là, une mauvaise nouvelle les attendait. Danaé, ayant compris la manœuvre de Polydectès envers son fils, avait rompu ses fiançailles avec le roi. Celui-ci, fou de rage, était déterminé à la tuer. Pour le moment, Danaé et Dictys se cachaient dans un temple. Mais combien de temps pourraient-ils échapper à la colère du roi ? Alors, comme s'il ne savait rien de tout cela, Persée se présenta devant le roi. « Tu m'avais demandé la tête de Méduse, lui dit-il. La voici ! » Joignant le geste à la parole, il sortit la tête de son sac. Les yeux de la Gorgone croisèrent ceux de Polydectès qui, aussitôt, se pétrifia.

Persée avait accompli sa mission. Danaé était sauvée. Maintenant, ils étaient libres de vivre heureux. Seulement, Danaé ne voulait pas rester à Sériphos. Elle désirait retourner à Argos, se réconcilier avec son père. Alors, Persée, Danaé et Andromède s'en allèrent.

Apprenant que son petit-fils approchait de son royaume, Acrisios, terrifié, s'enfuit. Il se réfugia chez l'un de ses amis, le roi de Larissa. Or, ce roi, Teutamidès, venait de perdre son père et, en son honneur, il organisait des jeux funèbres. Ces jeux, qui opposaient des athlètes dans différentes disciplines, attiraient toujours de nombreux jeunes gens venus de toute la Grèce. Persée eut envie d'y participer.

Le jour des jeux arriva, Acrisios se trouvait parmi les spectateurs. Après la course, vint le moment de lancer le disque. Persée se présenta. Son disque s'éleva, tournoya dans les airs et, soudain, un coup de vent le fit dévier vers la tribune des spectateurs. Là, il retomba. Mais il avait atteint Acrisios de plein fouet. La prophétie d'Apollon s'était réalisée. Le roi d'Argos était mort, tué involontairement par le fils de Danaé. Déchiré de douleur, Persée refusa de monter sur le trône de son grand-père et échangea son royaume contre celui de Tirynthe.

PERSÉPHONE
PROSERPINE

Perséphone, fille de Déméter et de Zeus, est la déesse des Enfers et la compagne d'Hadès.

Perséphone était d'une rare beauté. Hadès en tomba amoureux et voulut l'épouser. Mais Déméter refusa ce prétendant du royaume des ombres.

Un jour, alors qu'elle dansait en compagnie d'autres nymphes dans la plaine d'Enna en Sicile, au milieu d'une prairie jonchée de fleurs, elle en aperçut une, inconnue d'elle, plus belle que toutes les autres. Elle la cueillit, c'était un narcisse. Soudain, un gouffre s'ouvrit dans la terre, des chevaux noirs en jaillirent, traînant un char conduit par un être d'une splendeur sombre et ténébreuse : c'était Hadès, le dieu du monde souterrain. Il saisit la jeune fille contre lui et l'entraîna au fond du royaume des morts. Les cris de Perséphone ne furent entendus que par Déméter et la vieille

Hécate[1] qui partirent à sa recherche. Déméter, accablée de chagrin, frappa la terre de stérilité. Zeus, qui avait eu une certaine complicité avec Hadès dans l'enlèvement de Perséphone, envoya sa messagère Iris, chargée de cadeaux, pour apaiser Déméter. Déméter refusa ces cadeaux, Zeus envoya alors un autre messager, Hermès, à son frère Hadès, pour lui conseiller de rendre Perséphone, car la race humaine allait s'éteindre. Puis, il fit dire à Déméter que sa fille lui serait rendue à condition qu'elle n'ait pas touché à la nourriture des morts.

Hadès, croyant que Perséphone n'avait rien mangé depuis son enlèvement et la voyant si malheureuse, décida de la laisser partir. Aussitôt, Perséphone sécha ses larmes et Hermès, venu la chercher, l'aida à monter dans son char. Mais, juste au moment où elle se mettait en route pour Éleusis, un des jardiniers d'Hadès, Ascalaphos, révéla que la déesse avait cueilli une grenade dans le jardin et en avait mangé un grain. Cela suffisait à la lier pour toujours aux Enfers.

Pour adoucir sa peine, Zeus décida qu'elle partagerait son temps entre le monde souterrain et le monde d'en haut.

Perséphone n'eut point d'enfant avec Hadès et tomba amoureuse du jeune Adonis, qu'Aphrodite lui confia lorsqu'il naquit.

1. Cette divinité mystérieuse, dotée de pouvoirs magiques, est représentée avec trois têtes.

PHAÉTON

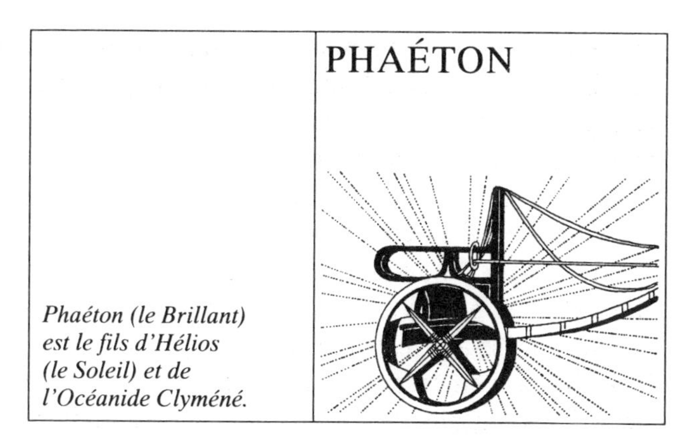

Phaéton (le Brillant) est le fils d'Hélios (le Soleil) et de l'Océanide Clyméné.

Sa mère laissa Phaéton ignorer qui était son père jusqu'à son adolescence. Quand Phaéton l'apprit, il demanda un signe de sa naissance et obtint de son père, le Soleil, la permission de conduire son char. Hélios fut terrifié par cette folle demande et essaya, en vain, de raisonner son fils ; finalement, il lui donna l'autorisation.

Les quatre chevaux blancs furent attelés au char étincelant et Phaéton prit les rênes. Son père lui recommanda de ne pas utiliser le fouet et de tenir les rênes d'une main très forte.

Phaéton sauta dans le char et partit au galop. Bientôt, il fut effrayé par l'altitude à laquelle il se trouvait et terrifié par la vue des animaux qui figurent les signes du Zodiaque. Il perdit le contrôle du char, descendant trop bas, brûlant les montagnes, ou montant trop haut, au risque de se heurter aux constellations. Zeus, pour éviter la destruction de l'univers, le foudroya.

POSÉIDON
NEPTUNE

Fils de Cronos et de Rhéa, Poséidon est le dieu de la Mer.

Frère de Zeus, il reçut comme royaume celui de la mer quand les trois frères se partagèrent l'univers. Dans les profondeurs marines, il se fit aussitôt construire un palais tout de nacre irisée et transparente. Mais Poséidon ne demeurait pas toujours dans son palais, déchaînant les tempêtes d'un coup du trident dont il ne se séparait jamais. Souvent il sortait et roulait à la surface des flots à bord d'un char que tiraient des chevaux blancs à crinière d'or. Lorsque le dieu de la Mer partait ainsi en promenade, des dauphins, des monstres marins l'escortaient dans une mer devenue soudain silencieuse et calme.

Ne pouvant épouser la belle Thétis, il se maria avec une autre Néréide, Amphitrite. La première fois que Poséidon aperçut Amphitrite, elle dansait sur la plage de l'île de Naxos. Aussitôt séduit, le dieu voulut s'emparer d'elle. Mais, prise de panique, Amphitrite s'enfuit et plongea dans les vagues. Poséidon envoya alors un dauphin à sa poursuite. La Néréide fuyait, se faufilant entre les algues et les coraux, le dauphin bondissait derrière elle, infatigable. Quand enfin Amphitrite s'arrêta, épuisée, le dauphin la prit sur son dos et la conduisit au palais de nacre. Du mariage d'Amphitrite et de Poséidon naquit Triton, dont le buste était celui d'un homme et le corps, une queue de poisson.

Mais Poséidon n'était pas seulement un dieu souvent amoureux de belles déesses ou de douces mortelles, il était également sujet à des colères terribles qui se soldaient par de terribles vengeances. Ainsi, il construisit un jour, avec l'aide d'Apollon, le mur de la ville de Troie. En échange, les Troyens lui avaient promis une récompense. Mais, au dernier instant, ils la lui refusèrent. Fou de rage, Poséidon déchaîna un monstre marin qui dévora les Troyens. Un peu plus tard, comme Minos avait renoncé à lui sacrifier un taureau, un superbe animal sorti des flots, Poséidon rendit le taureau furieux. Pis ! Il fit en sorte que Pasiphaé, la femme de Minos, tombe amoureuse de cette bête. C'est ainsi qu'elle donna naissance à un monstre, le Minotaure, qui avait un corps d'homme et une tête de taureau.

Poséidon se querellait avec les hommes, mais il entrait aussi en conflit avec les dieux. Il se disputa avec Athéna la protection d'Athènes. Les Athéniens ayant préféré la déesse, Poséidon inonda la plaine de l'Attique. Mais si Poséidon et Athéna s'étaient opposés au sujet d'Athènes, ils se réconcilièrent et complotèrent ensemble contre Zeus. En effet, Poséidon enviait le pouvoir de son frère et, avec l'aide d'Héra et celle, bien sûr, d'Athéna, il réussit à enchaîner le roi des dieux. Heureusement, le géant Briarée [1], passant par là, délivra Zeus. Poséidon n'eut pas ce pouvoir absolu qu'il convoitait, ce qui ne l'empêcha guère d'être révéré par tous les marins grecs.

1. Briarée est l'un des Hécatonchires (voir la généalogie, pp. IV-V).

PSYCHÉ

Psyché, qui en grec signifie l'âme, *est la femme d'Éros, l'Amour.*

Il était une fois un roi qui avait trois filles. Toutes trois étaient de grande beauté, mais la plus jeune, Psyché, les surpassait tant que l'on aurait cru une déesse parmi de simples mortelles. Les hommes ne s'y trompaient pas et ils venaient de toute la terre pour admirer Psyché. Faisant cela, ils oubliaient de rendre son culte habituel à Aphrodite. Quand la déesse vit que ses temples étaient désertés, ses autels couverts de cendres froides, elle décida de se venger de Psyché.

Elle rendit visite à son fils, Éros, et lui demanda d'inspirer à la jeune fille une passion pour l'être le plus monstrueux qu'il pourrait trouver. Seulement, en exigeant cela de son fils, Aphrodite lui avait également montré Psyché. Or, au moment où elle la lui montrait, un véritable miracle se produisit. Éros, qui avait l'habitude de transpercer le cœur des hommes de ses flèches, en apercevant la beauté de Psyché, transperça son propre cœur. Que pouvait-il faire désormais ? D'une part, il ne voulait pas désobéir à sa mère. D'autre part, il ne pouvait s'employer à rendre celle qu'il aimait amoureuse d'un monstre ! Désemparé, il demanda conseil à Apollon et celui-ci lui donna une idée. Mais, pour que l'idée d'Apollon prenne forme, il fallait du temps… beaucoup de temps. Et, pendant ce temps-là, Aphrodite agissait de son côté. Non seulement les deux sœurs de Psyché s'étaient mariées, et toutes deux avec des rois, mais plus aucun homme n'aimait Psyché. Ils l'admiraient, certes, mais ils ne l'aimaient pas.

Désespéré de voir sa fille sans époux, le roi, son père, se rendit à Delphes pour consulter l'oracle d'Apollon et savoir ce qu'il fallait faire. Par la voix de Pythie, Apollon répondit qu'un mari était destiné à Psyché, mais qu'il s'agissait d'un monstre, un serpent ailé. On devait conduire la jeune fille en haut d'une colline et l'y laisser seule pour que son époux puisse s'emparer d'elle.

Bien que plus désespéré encore, le roi obéit. On habilla Psyché comme toutes les mariées. Jamais elle n'avait été aussi belle avec tous ses voiles blancs parsemés de violettes. Mais le cortège qui la conduisait vers la colline ressemblait à un cortège funèbre. Son père, sa mère, ses sœurs et leurs maris pleuraient. Après un dernier adieu, ils l'abandonnèrent, redescendirent la colline. Quand ils furent loin, très loin, Psyché sentit un vent très doux l'envelopper puis la soulever. C'était un vent parfumé qui la menait au travers des airs avec la délicatesse d'une brise qui enlève une plume. Toujours de la même façon, il la déposa dans une contrée merveilleuse, aux portes d'un palais. Ses colonnes étaient de cristal et son chapiteau d'or. Tout cela était tellement beau que Psyché hésita. Mais, à ce moment, une voix lui murmura : « Entre, ce palais est le tien. Repose-toi, prends un bain. Goûte au repas que je t'ai fait préparer et, ce soir, je viendrai te rejoindre. »

Psyché pénétra dans le palais. Ses pieds se posaient sur des dalles de marbre incrustées de pierres précieuses. Elle se baigna et jamais une eau ne lui avait semblé plus douce. Elle mangea ; même lors des plus grands festins de son père, jamais elle n'avait goûté des mets aussi délicieux. Un orchestre invisible jouait pour elle et c'est sa musique qui la guida, comme dans un rêve, vers une chambre. Là, elle se coucha. Et, au bout de quelques instants, la voix qu'elle avait entendue à l'entrée du palais lui murmura : « Je suis ton mari, Psyché. Je t'aime. Mais tu ne peux et ne dois pas me voir. »

Chaque jour, la même histoire se répétait, et qu'importait à Psyché d'avoir un mari invisible ? Elle l'aimait, il l'aimait et elle était heureuse ainsi. Mais il vint un moment où elle apprit que ses sœurs se rendaient souvent sur la colline où elle avait disparu et, là, pleuraient. Savoir que ses sœurs la pleuraient, alors qu'elle était heureuse, la rendit triste. Elle s'en ouvrit à son mari et lui dit combien elle aimerait les revoir, les consoler. Celui-ci lui assura que, si elle faisait cela, elle causerait sa propre perte. Mais Psyché insista tellement qu'il finit par céder.

Le lendemain, Psyché se rendit sur la colline où le vent l'avait enlevée. Les trois sœurs pleurèrent longtemps, de grosses larmes de bonheur. Puis, Psyché les emmena dans son palais. Quel éblouissement ! Les deux sœurs pensaient en elles-mêmes qu'elles étaient peut-être reines, épouses de rois, mais qu'aucune d'entre elles ne posséderait jamais autant de merveilles. Alors, la jalousie commença à poindre dans leurs cœurs. Tandis que Psyché leur faisait préparer un repas, elles chuchotèrent et mirent au point un plan diabolique. À peine Psyché revenue, elles lui demandèrent où se trouvait son mari. Psyché répondit qu'il était à la chasse. Les deux sœurs sourirent. À la chasse, voyons, Psyché mentait, la vérité était tout autre. En réalité, elle n'avait jamais vu son mari, n'est-ce pas ? Psyché reconnut que c'était vrai. Les deux sœurs soupirèrent. Leur tâche était dure, mais il fallait qu'elles lui révèlent la vérité. Son mari était un monstre, un serpent ailé et, une nuit, il la dévorerait. Il fallait absolument que, ce soir même, elle cache une lampe et un poignard dans leur chambre. Quand il serait endormi, elle allumerait la bougie, le regarderait et aussitôt le tuerait.

Frissonnante d'effroi, Psyché fit comme ses sœurs le lui avaient conseillé. Mais, au lieu d'un monstre, elle aperçut un être resplendissant de douceur et de beauté. Comment avait-elle pu croire ses sœurs ? Comment avait-elle pu tromper la confiance d'un tel mari ? Tremblante de repentir, Psyché tomba à genoux et pleura. Mais, en tombant ainsi, elle renversa une goutte de cire sur l'épaule de son mari. Sous le coup de la douleur, Éros, car c'était lui, se réveilla et s'enfuit.

Nuit après nuit, Psyché l'attendit, pleurant. Mais il ne revint pas. Alors, avec le secret espoir de retrouver son mari, elle se rendit auprès d'Aphrodite. Si elle avait offensé la déesse, elle était prête à faire tout ce que celle-ci lui demanderait. Aphrodite, qui, tout d'abord, avait été furieuse que son fils lui désobéisse, se dit qu'elle tenait là la meilleure occasion de se venger de Psyché. On verrait bien si sa fameuse beauté allait résister aux tâches impossibles qu'elle était déterminée à lui imposer.

Malheureusement pour Aphrodite, Psyché accomplissait toujours tous ses travaux car la nature entière avait décidé de l'aider. Un jour, c'étaient des fourmis qui triaient avec elle des monceaux de graines ; le lendemain, un roseau qui lui expliquait comment ramasser la laine de moutons d'or sans les tondre, simplement en récoltant celle qu'ils accrochaient dans les broussailles.

Mais Aphrodite n'était pas à court d'idées. Elle ordonna un jour à Psyché de lui remplir une fiole avec un peu d'eau du Styx. La jeune fille partit avec la fiole. Mais, quand elle arriva près des rochers escarpés et glissant entre lesquels bouillonnaient les eaux noires, elle commença à désespérer. Jamais elle ne parviendrait à descendre le long de ce ravin. À ce moment, un aigle passa au-dessus d'elle, prit la fiole dans son bec et piqua vers les eaux. La fiole était remplie.

La voyant ainsi revenir, vivante, la fiole à la main et pleine, Aphrodite dut faire beaucoup d'efforts pour contenir sa colère. Aussitôt, elle ordonna une nouvelle tâche à Psyché. Il s'agissait de se rendre aux Enfers et de demander à Perséphone une boîte contenant un peu de beauté.

Se rendre aux Enfers ! Psyché errait dans la lande. À chaque pas son désespoir croissait. À un moment, il fut si grand qu'elle monta au sommet d'une tour. « Je vais sauter, m'écraser au sol et mourir », pensa-t-elle. Mais, au moment où elle se penchait, les pierres de la tour se mirent à parler. Elles lui disaient de ne pas sauter, qu'elles allaient lui indiquer le chemin des Enfers, lui donner une obole pour que Charon lui fasse franchir le Styx et un gâteau pour que Cerbère s'apaise. Et tout se passa ainsi que les pierres le lui avaient promis.

Psyché surmonta les différents obstacles de l'Enfer et se retrouva devant Perséphone qui lui remit effectivement une boîte.

Mais, sur le chemin du retour, Psyché pensa que tous les travaux imposés par Aphrodite avaient dû flétrir sa beauté. Elle ouvrit la boîte. Aussitôt une sorte de torpeur l'envahit. En effet, le coffret ne contenait pas de la beauté, mais de la mort.

Les jambes de Psyché fléchirent et elle tomba évanouie. La mort était en train de faire son œuvre. Pendant ce temps, Éros, guéri de sa blessure et qui ne pouvait vivre sans Psyché, la cherchait partout. Quand il la trouva dans la prairie, près de la boîte ouverte, il comprit ce qui s'était passé. Il la réveilla d'un léger coup de flèche et, l'enlevant dans ses bras, l'emmena jusqu'à l'Olympe. Là, il exposa toute l'affaire à Zeus. Il voulait que Psyché soit sa femme et que la guerre cesse entre elle et sa mère. Zeus réfléchit et trancha le problème. Il fallait que Psyché devienne une déesse. Ainsi Aphrodite ne serait plus jalouse. On fit aussitôt manger de l'ambroisie à Psyché pour la rendre éternelle et Aphrodite accepta de faire la paix avec elle. C'est ainsi qu'Éros, l'Amour, et Psyché, l'Âme, se rencontrèrent, s'unirent et vécurent ensemble.

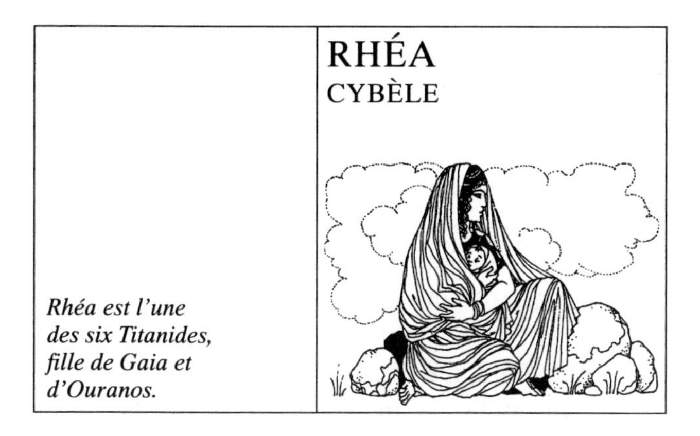

RHÉA
CYBÈLE

Rhéa est l'une des six Titanides, fille de Gaia et d'Ouranos.

Quand Cronos eut châtré Ouranos, pour le remercier, les Titans, les Cyclopes et les Hécatonchires firent de lui leur roi. Cronos épousa alors Rhéa. Mais, lorsqu'il apprit que celle-ci attendait un enfant, il se rappela la prédiction qu'avait faite Ouranos. Cronos aussi serait détrôné par l'un de ses fils ! Pris de panique, il ordonna à Rhéa de lui apporter l'enfant dès sa naissance. Rhéa obéit et, horrifiée, le vit avaler le bébé. Lorsque le deuxième vint au monde, Cronos répéta son geste ; et ainsi de suite jusqu'au cinquième enfant. Mais Rhéa, enceinte une nouvelle fois, décida de sauver son dernier enfant. Quand elle sentit qu'elle était sur le point d'accoucher, elle gagna la Crète. Et là, seule, en pleine nuit, sur le mont Ida, elle donna naissance à Zeus. Après l'avoir baigné, elle le confia à Gaia. Tandis que la Terre mère et une nymphe-chèvre, Amalthée, prenaient soin du petit dieu et le nourrissaient de lait, Rhéa rejoignit son mari. Elle lui annonça la naissance de leur sixième enfant, un fils, et lui présenta une pierre enveloppée de langes. Cronos s'en empara aussitôt et l'avala.

Cependant, dans une grotte de Crète, le petit Zeus grandissait auprès de la chèvre Amalthée. Devenu adulte, il décida de se venger de son père. Mais comment s'y prendre ? Alors, Rhéa intervint. Elle lui remit une fiole. Celle-ci contenait un breuvage qui ferait vomir Cronos. En vomissant, il restituerait les enfants qu'il avait avalés. Et c'est ce qui arriva…

SATYRES (LES)

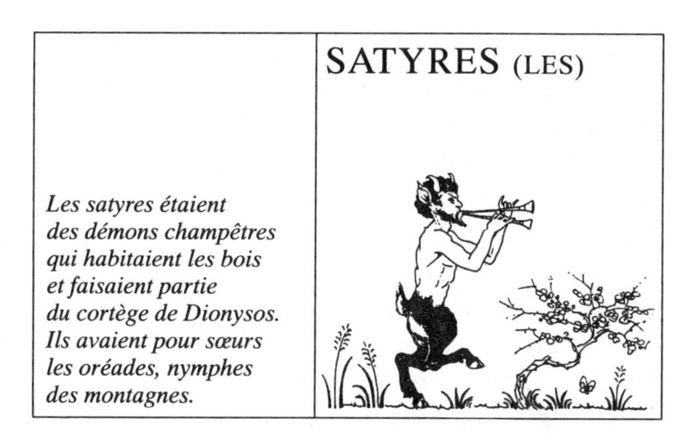

Les satyres étaient des démons champêtres qui habitaient les bois et faisaient partie du cortège de Dionysos. Ils avaient pour sœurs les oréades, nymphes des montagnes.

Les satyres ressemblaient à Pan. C'étaient des hommes-chèvres avec une tête à petites cornes pointues et barbichette, un torse velu et des pattes, et une queue de bouc. Compagnons habituels de Dionysos, ils vivaient dans une ivresse perpétuelle et poursuivaient les nymphes en jouant de la flûte.

SÉLÉNÉ

LUNA

Sœur d'Hélios et d'Éos, elle est la déesse de la Lune.

Autant Hélios était rayonnant, autant Séléné était blanche. L'éclat de son teint diaphane faisait pâlir de jalousie les étoiles. Comme son frère, elle conduisait un char. Mais le sien était d'argent, tiré par deux chevaux blancs. Elle parcourait ainsi le silence noir de la nuit. Un jour, passant au-dessus des monts de Latmos, elle aperçut un jeune berger endormi dans une grotte. Émue par sa beauté, elle arrêta un instant sa course pour mieux le contempler et déposa sur ses lèvres un baiser. Puis, elle pensa soudain que ce jeune berger était mortel. Alors, par un charme magique, elle rendit son sommeil éternel. Ainsi, Endymion, puisque tel est son nom, dort à jamais, immortel, dans une grotte de Latmos où chaque nuit Séléné vient l'embrasser.

SÉMÉLÉ

Sémélé est la fille du roi de Thèbes Cadmos et de sa femme Harmonie, fille d'Aphrodite et d'Arès.

Zeus, déguisé en simple mortel, vivait en secret une aventure amoureuse avec Sémélé. Mais Héra, jalouse de l'amour que Zeus éprouvait pour Sémélé, prit les traits de sa vieille nourrice afin de pouvoir lui parler et semer le doute dans son esprit quant à l'identité de son amant. Elle suggéra à Sémélé, alors que celle-ci était enceinte de six mois, de demander à son mystérieux amoureux de se montrer sous son aspect véritable et d'apparaître dans toute sa splendeur. Zeus chercha à l'en dissuader mais, comme il avait juré sur les eaux du Styx d'accorder à celle qu'il aimait tout ce qu'elle lui demanderait, il dut tenir sa folle promesse.

Zeus savait que nul mortel ne pouvait le voir dans tout son éclat sans mourir. Il apparut à

Sémélé comme elle le lui avait demandé, au milieu de la foudre et des éclairs ; devant cet embrasement de lumière et de feu, elle mourut. Mais, avant qu'elle ne fût réduite en cendres, Zeus lui arracha l'enfant qui allait naître, puis il fit une entaille dans sa cuisse et y plaça le futur Dionysos pour qu'il puisse continuer à se développer jusqu'à sa naissance. À ce moment, Hermès emporta l'enfant nouveau-né et le confia aux nymphes de Nysa.

SISYPHE

Roi de Corinthe, Sisyphe tenta de dérober Thanatos, la Mort.

Il était une fois un dieu-fleuve du nom d'Asopos. Asopos avait une fille, Égine [1], dont Zeus était amoureux. Hélas pour Zeus, chaque fois qu'il essayait d'approcher la jeune fille, celle-ci se dérobait. Alors, le dieu eut recours à une ruse. Il prit la forme d'un aigle et, fondant sur Égine, la saisit dans ses serres et l'enleva. Comme il s'envolait vers l'Olympe, Sisyphe aperçut dans le bleu du ciel cet aigle aux proportions si majestueuses. Aucun doute n'était possible, seul Zeus pouvait se métamorphoser en un tel animal. Mais, pendant ce temps, Asopos cherchait sa fille et demandait à tous s'ils pouvaient lui fournir un indice. Quand il arriva à Corinthe, Sisyphe lui répondit qu'il

1. Égine est une Naïade, c'est-à-dire une nymphe des eaux.

savait en effet qui avait enlevé Égine, mais, pour qu'il lui donne le renseignement, Asopos devait d'abord faire jaillir une source près de Corinthe. Asopos s'exécuta et Sisyphe, comme c'était convenu, lui révéla que le ravisseur de sa fille n'était autre que Zeus. Furieux d'avoir été dénoncé par Sisyphe, Zeus ordonna alors à la Mort, Thanatos, de s'emparer de lui. Thanatos se mit en route, mais Sisyphe, rusé, parvint à enfermer la Mort dans une tour. Thanatos prisonnière, plus personne ne mourait sur terre. Cela peut paraître une bonne chose, et pourtant il y avait parmi les humains des malades qui ne supportaient plus leurs souffrances, des vieillards qui n'enduraient plus leurs douleurs, et tous appelaient la Mort pour qu'elle vienne les délivrer. Et ils appelaient et appelaient en vain… La situation devenait infernale.

Zeus fit alors appel à Arès. Il fallait qu'il aille libérer la Mort. Le dieu de la Guerre réussit dans sa mission et Sisyphe fut précipité dans le Tartare. Là, pour s'être moqué de la Mort, Hadès le condamna à un supplice éternel. Sisyphe devait pousser une énorme pierre jusqu'en haut d'une montagne. Mais, depuis des siècles et des siècles, chaque fois qu'il parvient au sommet, la pierre lui échappe des mains et il doit recommencer sa tâche.

STYX (LE)

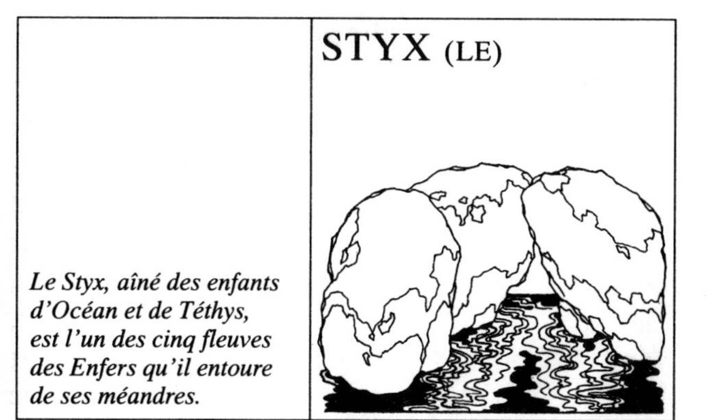

Le Styx, aîné des enfants d'Océan et de Téthys, est l'un des cinq fleuves des Enfers qu'il entoure de ses méandres.

Avant de se perdre sous terre, le Styx prend sa source dans les montagnes d'Arcadie. Ses eaux noires et glacées bouillonnent entre des rochers glissants et escarpés. Nul être humain ne peut s'en approcher sans tomber et l'animal qui essaierait d'y boire mourrait aussitôt, empoisonné.

Soudain, par une crevasse, le Styx s'engouffre sous terre. Son cours gagne les Enfers où il coule en longs méandres circulaires et nauséabonds. Pourtant, ce fleuve, que tout rend maléfique, recèle aussi des pouvoirs bénéfiques. C'est dans ses eaux infernales que Thétis trempa son fils, Achille, pour le rendre invulnérable. De même, dans la lutte qui opposa Zeus aux Titans, le Styx se rangea du côté des Olympiens avec ses quatre enfants, Zélos, l'Ardeur, Niké, la Victoire, Cratos, la Force, et Bia, la Violence. En récompense de son aide, Zeus fit du Styx le garant des serments solennels prononcés par les dieux.

TANTALE

Tantale passait pour être fils de Zeus et de Ploutos.

Il y a très longtemps régnait en Lydie un roi du nom de Tantale. Il était très riche, mais aussi très orgueilleux. Quel mortel, en effet, n'aurait pas tiré fierté d'être invité au festin des dieux, de goûter avec eux, sur l'Olympe, le nectar et l'ambroisie ? Tantale pensait qu'il devait cette amitié des dieux à ses qualités. Les dieux, pour leur part, savaient à quoi s'en tenir. Tantale était l'un des fils de Zeus. Tantale l'ignorait-il ? L'histoire ne le dit pas. Toujours est-il qu'un jour il s'imagina pouvoir se montrer plus malin que les dieux : en un mot, il crut les abuser. Pour cela, il les convia à un festin, dans son palais. Les dieux arrivèrent, Hélios, dans son char d'or, Séléné, dans son char d'argent. Tous s'installèrent et les serviteurs de Tantale leur apportèrent les plats que le roi avait fait préparer. À peine eurent-ils senti l'odeur qui s'exhalait de ces mets que les dieux se levèrent, horrifiés. Aucun doute possible, c'était de la chair humaine. Pis ! La chair de Pélops, le propre fils de Tantale, que le roi avait ordonné de faire bouillir en un grand chaudron et d'assaisonner comme un vulgaire ragoût. Pleins de colère et d'indignation, les dieux décidèrent alors que le châtiment de Tantale devait être exemplaire. Ils le précipitèrent vivant au plus profond du Tartare, juste à l'endroit où coulait la seule source claire et limpide des Enfers. Au-dessus de cette source se trouvaient des arbres chargés de fruits de toute beauté… Poires, grenades, figues douces… Tantale pensa en lui-même que le châtiment n'était pas si terrible. Ah, ces dieux, quels imbéciles ! Pourtant, quand, pris d'une envie subite de boire, il se pencha, la source disparut brusquement sous terre. Qu'à cela ne tienne, il se désaltérerait avec le jus d'une poire, et en plus il mangerait ! Mais un coup de vent souleva les branches, mettant les fruits hors de sa portée. Il en fut ainsi chaque fois que Tantale voulait boire ou manger. Voilà comment il demeura aux Enfers, tenaillé par une soif et une faim éternelles.

THÉMIS

Fille d'Ouranos et de Gaia, Thémis est la déesse de la Loi.

Thémis représente l'ordre du monde et personnifie la Justice. Elle assiste Zeus de ses conseils. Elle partage avec les dieux leur vie sur l'Olympe, car elle a inventé les oracles et les rites.

De son union avec Zeus naquirent les trois Heures et les Moires[1].

On la représente souvent comme une jeune fille à l'air sévère.

1. Les Moires (Parques pour les Latins) sont représentées comme trois vieilles fileuses tissant le fil de la vie pour chaque être vivant. Les Heures sont les divinités des Saisons (voir pp. 65 et 170).

THÉTIS

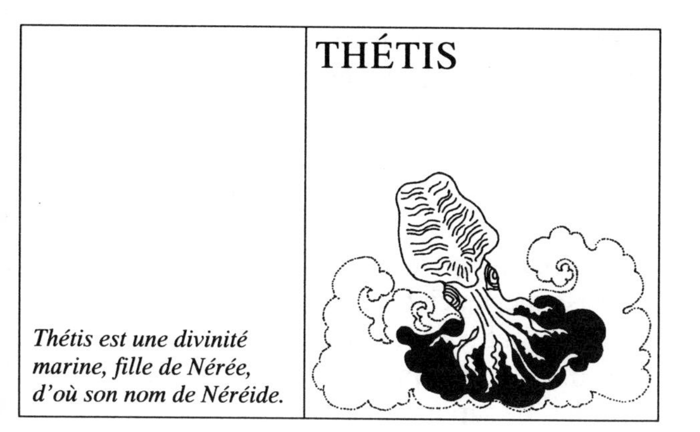

Thétis est une divinité marine, fille de Nérée, d'où son nom de Néréide.

Nérée, le vieil homme de la mer, le dieu de la Méditerranée, épousa Doris, l'une des filles d'Océan. Ensemble, ils eurent cinquante filles, les Néréides. Thétis était l'une de celles-ci. Bien qu'elle soit née au fond des eaux, Héra, la trouvant jolie, décida de l'élever parmi les Olympiens. À dater de ce jour, une grande amitié naquit entre Thétis et Héra. Mais la déesse n'était pas la seule à trouver Thétis à son goût. Zeus et Poséidon lui auraient volontiers fait la cour. Pourtant, en dépit de la beauté de la Néréide, un jour ils cessèrent brusquement de se disputer ses faveurs. Une prophétie venait de leur apprendre que le fils né de Thétis serait plus puissant que son père. Pas question d'être détrônés ! L'histoire d'Ouranos et de Cronos suffisait.

Pour être sûrs qu'aucun dieu ne tomberait dans ce piège, Zeus et Poséidon s'empressèrent de marier Thétis... à un mortel. Héra accepta cette décision des dieux ; néanmoins elle tenait à ce que sa protégée épousât le plus prestigieux des mortels, Pélée.

Le mariage fut célébré en grande pompe. Héra, en personne, tenait la torche nuptiale. Les Parques[1], les Grâces et les Muses chantaient. Les Néréides dansaient tandis que les Centaures agitaient des branches de sapin. Mais Thétis se moquait bien de ces splendeurs. Elle était furieuse qu'on ait choisi pour elle un simple mortel. Et, dans sa colère, elle était déterminée à échapper à Pélée. Le mariage était peut-être célébré, mais jamais elle ne serait sa femme.

Quand, les invités partis, Pélée s'approcha de son épouse, celle-ci se transforma en feu. Mais, en dépit des flammes qui le brûlaient, Pélée la saisit et ne relâcha pas son étreinte. Puisque le feu ne l'effrayait pas, Thétis décida de se transformer en lion, puis en serpent, en eau et même en seiche, crachant de l'encre. Pourtant, brûlé, étouffé, griffé, meurtri, Pélée la tenait toujours, serrée dans ses bras. Finalement, Thétis admit qu'elle était vaincue : elle serait sa femme.

Elle donna sept fils à Pélée. Tous étaient des demi-dieux, moitié mortels et moitié immortels. Cela ennuyait Thétis. Elle les aurait voulus tota-

1. Nom latin des Moires (voir p. 159).

lement immortels. Aussi, pour éliminer cette mauvaise part, cette part mortelle qu'il y avait en eux, elle les passa, les uns après les autres, par le feu. Hélas, au lieu de les changer en dieux, elle les brûla ! Lorsque son septième fils, Achille, naquit, elle décida donc de changer de tactique. Elle descendit aux Enfers et, tenant l'enfant par le talon, le plongea entièrement dans les eaux du Styx qui rendaient invulnérable. Toute contente, elle revint sur terre, oubliant qu'elle n'avait pas trempé le talon qui, lui, demeurerait vulnérable. Elle se le rappela seulement quand la guerre de Troie éclata.

En tant que Grec, Achille se devait d'y participer. Bien sûr, aucune flèche, aucune lance ne pouvait le blesser ! Mais si, par hasard, un coup de dague l'atteignait au talon… il mourrait. Thétis ne voulait pas prendre ce risque. Elle ordonna à Achille de se rendre chez le roi Lycomède et là, déguisé en femme, de se cacher parmi ses filles.

Pendant ce temps, les Grecs cherchaient Achille. Il leur était impossible de s'embarquer pour Troie sans lui. Mais ils avaient beau chercher, Achille demeurait introuvable. Odusseus, qui connaissait l'amour de Thétis pour son fils, eut alors l'intuition de la ruse qu'elle avait inventée. Déguisé en colporteur, il pénétra dans le palais de Lycomède. Dans un panier, il présenta des bijoux, des colifichets, dans l'autre des armes. Toutes les filles du roi se précipitèrent vers le premier panier. Toutes, sauf une, qui, étrangement, s'intéressait aux armes. C'était Achille, enfin retrouvé. Les Grecs pouvaient embarquer. Devant Troie, Achille se battit avec courage. Mais, un jour, son meilleur ami, Patrocle, tomba, tué par le Troyen Hector. D'abord désespéré, Achille jura de le venger. Il provoqua Hector en duel. Or Thétis savait que le Troyen était un valeureux guerrier. Elle tenta de dissuader son fils. Celui-ci refusa. Il se battrait avec Hector, et le tuerait ou mourrait. Comprenant qu'il ne céderait pas, elle lui remit des armes forgées par Héphaïstos et qui devaient lui assurer la victoire. Le lendemain, Patrocle fut vengé. Achille avait tué Hector. Mais il tomba à son tour, blessé d'une flèche au talon.

Thétis et les Néréides embaumèrent son corps et, pleurant, le transportèrent jusqu'à l'île Blanche.

TITANS (LES)

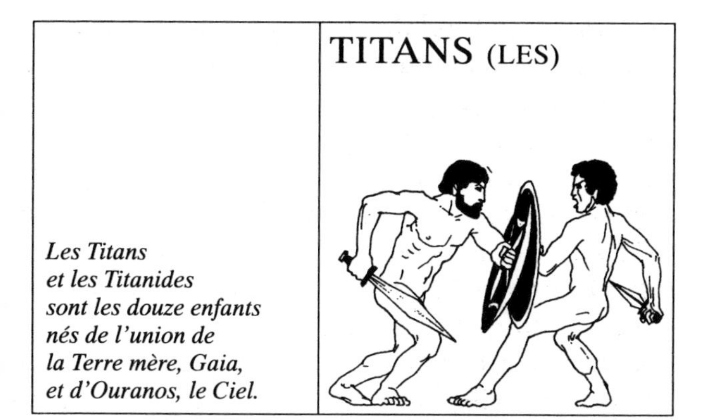

Les Titans et les Titanides sont les douze enfants nés de l'union de la Terre mère, Gaia, et d'Ouranos, le Ciel.

Les Titans étaient six : Océan, Cœos, Crios, Hypérion, Japet et Cronos. Ils avaient six sœurs : Théia, Rhéa, Thémis, Mnémosyne, Phœbé et Téthys. Ils régnèrent sur le monde au commencement de l'univers et après la victoire de Cronos sur Ouranos.

Devenu roi, Cronos épousa Rhéa. Ensemble, ils eurent six enfants, les Olympiens. Le sixième de ces enfants, Zeus, mena une guerre de dix ans contre les Titans. Cette guerre, au cours de laquelle Cyclopes et Hécatonchires aidèrent les Olympiens, reçut le nom de Titanomachie.

Victorieux et roi à son tour, Zeus précipita les Titans au plus profond du Tartare et condamna Atlas à supporter sur ses épaules la voûte du ciel.

ZÉPHYR
FAVONIUS

Zéphyr est le dieu du vent de l'Ouest.

Vent doux et rieur, Zéphyr avait l'apparence d'un jeune homme aux ailes diaprées, glissant au travers des airs, une corbeille de fleurs printanières à la main. Quoi de plus normal qu'il ait épousé Iris, la déesse de l'Arc-en-Ciel ! Et quand Éros, le dieu de l'Amour, voulut enlever Psyché, il chargea Zéphyr de la transporter jusqu'à son palais.

ZEUS
JUPITER

Fils de Cronos et de Rhéa, Zeus est le roi des dieux. Il trône au sommet de l'Olympe.

Fils de Cronos et de Rhéa, Zeus fut le seul que son père ne put avaler car, à la place de l'enfant, Rhé avait présenté au Titan une pierre enveloppée de langes. Il fut ainsi élevé en Crète par la nymphe-chèvre Amalthée qui le nourrissait de son lait. Mais, devenu grand, Zeus se vengea de son père. Il lui donna à boire un breuvage préparé par Rhéa et qui, aussitôt, fit vomir Cronos. En vomissant, le Titan restitua tous les enfants qu'il avait avalés. Alors, une longue guerre commença entre les Titans et les Olympiens que les Cyclopes et les Hécatonchires, délivrés du Tartare par Zeus, aidèrent. Les Olympiens vainquirent les Titans et les précipitèrent à leur tour au fond du Tartare. Cependant, Gaia, la mère des Titans, furieuse de voir ses fils ainsi enchaînés, se vengea en faisant

surgir un monstre, Typhon. Celui-ci faillit presqu
tuer Zeus qui, heureusement, parvint à le fou
droyer au dernier moment. Les Olympiens pou
vaient enfin régner en paix. Les trois frères, Zeus
Poséidon et Hadès, se partagèrent l'univers. A
Poséidon la mer, à Hadès le monde souterrain e
à Zeus le ciel, la lumière et, par conséquent, l
royauté absolue sur le monde et les dieux. Pour
tant, il demeurait une chose dont Zeus n'était pa
maître : le destin. Lui-même y était soumis.

Mais ce maître des dieux était également u
grand amoureux. Non content d'avoir épousé plu
sieurs femmes, il connut de multiples aventures
tant avec des déesses et des nymphes qu'avec de
mortelles. De sa première femme, Métis, il eu
Athéna ; de la Titanide Thémis, les Heures et le
Moires. Puis il épousa Eurynome, dont il eut le
Grâces[1], et enfin Héra. Mais il aima aussi Mnémosyne qui lui donna les Muses, Déméter avec
laquelle il engendra Perséphone. De son union
avec Léto naquirent Apollon et Artémis ; de celle
avec Maia, Hermès.

Héra supportait mal ses infidélités et, ne crai-
gnant ni sa foudre ni son pouvoir, elle le poursuivait de ses colères et se vengeait implacablement,
tant sur ses conquêtes que sur les enfants qui pouvaient en naître.

1. Leur nom grec est Charites.

TABLE DES MATIÈRES

es livres plein les poches,  des histoires plein la tête

Dans la collection Mythologies :
des contes et légendes de tous les pays et de tous les temps

ontes et légendes des chevaliers de la Table Ronde

aurence Camiglieri

e roi Artus, la reine Guenièvre, Lancelot du Lac, la forêt de Brocéliande, le al sans retour... Héros fabuleux, sites mythiques. Aventures merveilleuses. 'es récits nous plongent dans l'univers médiéval de l'amour courtois, de la hevalerie où se mêlent les exploits guerriers et les phénomènes surnaturels, où 'affrontent le bien et le mal.

égendes de la Vieille Amérique

Villiam Camus

lors que l'homme blanc ignorait encore l'existence de l'Amérique, des êtres ux noms étranges et poétiques peuplaient ce territoire : Buée-de-Brume, umière-du-Matin. Des Manitous faisaient briller le Soleil, tomber la Pluie. Un our, le Grand-Esprit décida de placer ces hommes sur cette terre.

Contes et récits tirés de *L'Énéide*

G. Chandon

Troie est réduite en cendres, ses vaillants guerriers sont massacrés, ses femmes raînées en esclavage par les Grecs vainqueurs. Seul le prince Énée a pu échapper au désastre ; avec son père et son fils, il s'embarque dans l'espoir de trouver une terre lointaine pour y fonder une nouvelle Troie. Suivez-le dans son voyage mouvementé.

Contes et récits tirés de *L'Iliade* et de *L'Odyssée*
G. Chandon

Un prince troyen a enlevé une reine grecque. Le scandale déclenche la gue la plus célèbre de l'Antiquité... Monstres et magiciennes guettent Ulysse d sa fabuleuse odyssée. Parviendra-t-il à arracher sa fidèle épouse Pénélope a prétendants qui convoitent son royaume d'Ithaque ?

Contes et récits de l'histoire de Carthage
Jean Defrasne

Tout commence avec une reine phénicienne en fuite, tout s'achève dans flammes et la désolation. Sur la mer, Carthage a construit un vaste empire q va bientôt se heurter à Rome. Avec ses héros glorieux et malheureux, suiv les éléphants d'Hannibal et partagez la poussière des batailles. Découvr l'histoire et les richesses de Carthage.

Récits tirés de l'histoire de Rome
Jean Defrasne

Toute l'histoire de Rome antique, ses grandeurs, ses faiblesses, ses heur sombres et ses jours de gloire : voici les Gaulois à l'assaut de la Ville éternel les éléphants d'Hannibal venus de la puissante Carthage, César trahi par l siens, l'esclave Spartacus luttant pour libérer ses compagnons d'infortun l'empereur Néron emporté par sa folie mégalomane, et bien d'autres...

Récits tirés de l'histoire de Byzance
Jean Defrasne

Théodora la danseuse devenue impératrice, Justinien le législateur, Mahomet le conquérant... Tous ont aimé et voulu Byzance, la cité où fleurirent paix, les arts et la richesse mais qui connut aussi la guerre, l'intrigue et le san Une fresque colorée qui s'étend sur mille ans et rayonne sur toute l'Europ orientale.

Les contes d'Excalibur
Alain Demouzon

Un soir, après la classe, Corentin trouve sur sa route un chevalier erran surgi de la nuit des temps, qui lui confie une mission : retrouver Excalibu et restaurer le royaume de la Table Ronde. Le voici parti vers ces temp enchantés, bientôt rejoint par son amie Clotilde, devenue fée de Brocéliande..

Récits tirés de l'histoire grecque
Marguerite Desmurger

Découvrez les hauts lieux de la Grèce ancienne et vivez les plus grand moments de son histoire en compagnie de héros devenus légendaires : Olympi et ses athlètes, Sparte et ses valeureux guerriers, Crésus et son or, le comba désespéré de Léonidas aux Thermopyles, ou encore Socrate buvant la ciguë.

ontes et légendes de l'Égypte ancienne
arguerite Divin

ascinante Égypte ! Au bord du Nil majestueux, ses pyramides abritent le mys-re. Ses momies sont les étranges témoins d'un monde cinq fois millénaire. ntrez dans ses légendes et voguez sur la barque magique du Seigneur Râ, ncontrez Isis, fréquentez dieux et pharaons. Ils vous invitent au plus beau des yages : celui du rêve dans un temps fabuleux.

ontes et légendes des pays d'Orient
harles Dumas

n simple citoyen qui se retrouve calife un beau matin, un fils de roi transformé 1 singe et doté d'étonnants pouvoirs, les invités d'une reine métamorphosés n chameaux, tout un monde fabuleux peuplé de princesses, de sultans et de agiciens, tel est cet univers enchanteur des conteurs orientaux qui nous font ever d'un inaccessible ailleurs...

ontes et légendes mythologiques
mile Genest

ous les rencontrez tous : les dieux et les déesses qui ressemblent, malgré urs extraordinaires pouvoirs, aux pauvres mortels de la Terre ; les héros apables d'accomplir d'impossibles exploits ; les monstres sortis des songes les lus fous, des cauchemars les plus noirs. Ils font galoper notre imagination et 'ont pas fini de peupler nos rêves.

ontes et légendes des Antilles
hérèse Georgel

oisson la lune et la baleine tropicale, You glan glan, térébenthine et Cécenne, oilà quelques-uns parmi tous les personnages merveilleux (ou méchants) que ous allez rencontrer dans ce recueil d'histoires des îles, ces doux pays sans iver où la mer est phosphorescente et où les poissons volent.

ontes et légendes de Babylone et de Perse
ierre Grimal

ilgamesh et son ami Enkidu à la recherche de l'immortalité. Sémiramis, eine de Babylone et ses merveilleux jardins suspendus. Cyrus, roi des Perses t ses exploits légendaires. Voici dix-huit contes sur les dieux et les héros du ays où coulent le Tigre et l'Euphrate.

Contes et légendes du temps d'Alexandre
Pierre Grimal

Alexandre le Grand : un nom et un destin qui n'ont cessé de faire rêver les conquérants comme les amateurs d'Histoire. Sa vie est un roman : de la Macédoine où il est né jusqu'aux portes de l'Inde où il a conduit son armée, vous suivrez l'itinéraire étonnant d'un enfant gâté, doué d'une intelligence exceptionnelle, devenu le maître d'un immense empire.

Le Premier Livre des Merveilles
Nathaniel Hawthorne

Découvrez les plus célèbres légendes de la mythologie grecque racontées p… un grand romancier américain du XIXe siècle à ses jeunes enfants : vo… tremblerez avec Persée face à la terrible Gorgone Méduse, vous suivr… Hercule sur le chemin du jardin des Hespérides. Midas et Pandore, Philém… et Baucis vous feront partager leurs misères et leur bonheur.

Le Second Livre des Merveilles
Nathaniel Hawthorne

Dans ce deuxième recueil de contes adaptés des plus célèbres légendes de … mythologie grecque, vous entrerez dans le labyrinthe sur les pas de Thésé… mais aussi dans le palais de Circé à la suite d'Ulysse ; vous découvrir… comment les Pygmées ont vaincu l'invincible Hercule, tandis que Jason … Cadmus affrontent de terribles dragons.

Contes et légendes du Moyen Âge français
Marcelle et Georges Huisman

Roland et la fière Durandal, son épée, Guillaume d'Orange, vaillant défense… de Charlemagne, le bel Aucassin et la gente Nicolette sans oublier Renart au… mille tours : ils sont tous là, pour le plaisir du lecteur, dans ces contes … légendes qui retentissent encore du bruit des batailles et des chansons d'amou…

Contes et légendes de la Bible
Michèle Kahn

1. Du jardin d'Éden à la Terre Promise

Le fruit défendu, qui n'en a pas entendu parler ? Mais savez-vous comment È… le fit goûter à Adam ? Et comment Jacob acheta son droit d'aînesse contre u… plat de lentilles ? Et comment Joseph, esclave, devint vice-roi d'Égypte ?

2. Juges, rois et prophètes

Le combat de David et de Goliath, qui n'en a jamais entendu parler ? Mai… savez-vous comment le jeune berger abattit le géant ? Et comment Samson … vengea de la trahison de Dalila ? Et comment le sage roi Salomon répondit au… énigmes de la reine de Saba ?

Contes berbères de Kabylie
Mouloud Mammeri

Une petite fille et son frère au milieu des fauves ; une belle aux cheveux d'o… aimée d'un prince ; un fils de roi à la poursuite de la fiancée du soleil. Ce… contes berbères qui s'ouvrent par l'antique et mystérieuse formule « Machaho Tellem Chaho ! » ont traversé, oralement, bien des générations pour arriver jus… qu'au lecteur d'aujourd'hui, enchanté et ravi.

Légendes du monde grec et barbare
Laura Orvieto

Entrez dans la légendaire ville de Troie : découvrez son histoire merveilleuse et tragique, de la construction de ses remparts par les dieux Apollon et Poséidon à son pillage par les Grecs, de la naissance de Pâris à la mort d'Hector. Revivez les épisodes qui ont précédé la plus célèbre des guerres avant de suivre ses héros sur les champs de bataille.

Contes et légendes de la naissance de Rome
Laura Orvieto

Un guerrier beau comme un dieu, une vestale qui oublie le feu sacré, un berceau abandonné au fil de l'eau. Aux côtés de Romulus, vivez au jour le jour les péripéties de la fondation d'une humble bourgade, née dans la violence le 21 avril 753 av. J.-C., et promise à une gloire éclatante : Rome, la Ville éternelle.

Histoires merveilleuses des cinq continents
1. Au temps où les bêtes parlaient
2. Sur les routes, l'aventure
3. Amours et jalousies
Ré et Philippe Soupault

Ce sont de merveilleux contes que Ré et Philippe Soupault ont rassemblés aux quatre coins du monde. L'aventure attend au coin du chemin. On part sur les grandes routes de la terre et l'on rencontre des ennemis farouches, des périls inouïs mais aussi des amis fidèles et de charmantes princesses.

Légendes et récits de la Gaule et des Gaulois
Maguelonne Toussaint-Samat

Hercule et la Crau, Pythéas et Marseille, Vercingétorix et Alésia, sainte Geneviève et Paris : la Gaule tout entière est peuplée de héros mythiques et de chefs guerriers. Ces Gaulois, qu'on dit être nos ancêtres, se révèlent, à travers mille ans d'Histoire et d'histoires, joyeux, indisciplinés, bavards, un brin vantards, toujours sympathiques.

Dans chaque volume :

Collège du Sacré-Coeur
Association Coopérative
155 Belvedère Nord
Sherbrooke, Qué.
J1H 4A7.

Composition : Francisco *Compo*
61290 Longny-au-Perche

Imprimé en France par Brodard et Taupin
La Flèche (Sarthe) le 13.07.2000 - n° 2970

Dépôt légal : mai 1999.

12, avenue d'Italie • 75627 PARIS Cedex 13

Tél. : 01.44.16.05.00

Collège du Sacré-Coeur
Association Coopérative
155 Belvedère Nord
Sherbrooke, Qué.
J1H 4A7